ein Ullstein Buch

D0774829

ein Ullstein Buch
Nr. 20076
im Verlag Ullstein GmbH,
Frankfurt/M – Berlin – Wien
Englischer Originaltitel:
A Spread of Sail
Übersetzt von Walter Klemm

Deutsche Erstausgabe

Umschlagentwurf:
Hansbernd Lindemann
unter Verwendung eines
Dias von NEL

Printed in Germany 1983
Gesamtherstellung:
Ebner Ulm
ISBN 3 548 20076 1

Juni 1983
16.–20. Tsd.

Vom selben Autor
in der Reihe der
Ullstein Bücher

Der junge Kelso (20052)
Kelsos erstes Kommando (20066)
Kapitän Kelsos Rache (20099)
Kelso und der Nabob (20106)
Kommodore Kelso unter Feuer (20179)
Die persische Prinzessin (20211)
Kelso wird Kommodore (20331)
Geier am Ganges (20348)

CIP-Kurztitelaufnahme
der Deutschen Bibliothek

White, James Dillon:
Verrat an Kapitän Kelso: d. Strandung d.
Marie Galante bei d. Amiranten; Roman /
James Dillon White. [Übers. von Walter
Klemm]. – Dt. Erstausg. – Frankfurt/M,
Berlin, Wien: Ullstein, 1980.
(Ullstein-Bücher; Nr. 20076)
Einheitssacht.: A spread of sail ‹dt.›
ISBN 3-548-20076-1

James Dillon White

Verrat an Kapitän Kelso

Die Strandung
der *Marie Galante*
bei den Amiranten

Roman

ein Ullstein Buch

1

Das Blau des Meeres und des Himmels erstreckte sich bis zum Horizont, wo es zu einer Einheit verschmolz. Von seinem Sitz im Heck des Bootes, auf einen toten Kameraden und auf ein längst leeres Wasserfaß gestützt, blickte er über die unendliche, glitzernde Wasserfläche. Es schien, als erwarte er noch immer ein Wunder, und das nach sechsundfünfzig Tagen, in denen sie außer Seevögeln und fliegenden Fischen kein einziges Lebewesen gesehen hatten.

Aber er hoffte noch immer.

In der letzten Zeit, als Traum und Wirklichkeit sich unentwirrbar vermischten, war er zu der Ansicht gekommen, daß er auserwählt sei. Als einziger Überlebender einer Crew von acht stämmigen Seeleuten war er jetzt zwar zu schwach, um seinen verdorrten Arm höher zu heben als bis zum Dollbord, aber er glaubte fest daran, daß er überleben würde.

Grund zu dieser Annahme gab ihm die Tatsache, daß das Rettungsboot Fahrt machte. Langsam und kaum merklich bewegte es sich durch das Wasser. Als sie vor mehr als zwanzig Tagen das letzte, schwache Rudern einstellen mußten, hatten sie ein Stück Segeltuch an einem Behelfsmast befestigt. Dieses Notsegel trieb sie seitdem vor dem gleichmäßig wehenden Südwestmonsun stetig voran.

»Versucht, die Schiffahrtswege zu erreichen«, hatte Kapitän Balfour gesagt. »So Gott will, werdet ihr dort von einem Schiff aufgegriffen. Wenn ihr Glück habt, ist es eine Fregatte aus Bombay oder ein Ostindienfahrer. Im schlimmsten Fall kann es ein Freibeuter sein oder ein Frog*. Wenn es ein Brite ist, so händigt ihr dem dienstältesten Offizier an Bord meinen Brief aus und schildert ihm unsere verzweifelte Lage. Sollte es aber ein Freibeuter sein oder ein Frog, so vernichtet den Brief, erklärt ihm aber trotzdem unsere Situation. Auch ein Franzmann kann uns schließlich nicht einfach unserem Schicksal und damit dem sicheren Tod überlassen!«

Kapitän Balfour und die *Marie Galante*, die mit mehr als hundert Mann untergegangen war, gehörten für ihn längst der Vergangenheit an. In seinem umnebelten Gehirn konnte er sich das alles kaum noch vorstellen. Auch der verheerende Wirbelsturm, der so unerwartet rund tausend Meilen nördlich von seiner sonst üblichen Laufbahn zugeschlagen hatte, erschien ihm jetzt völlig

* frog (frog eater): Spitzname für Franzosen

unwirklich. Durst und Erschöpfung hatten seinen Geist verwirrt, seinen geschwärzten Lippen entrang sich kein anderer Laut als höchstens ein unverständliches Krächzen. Sein Körper ähnelte einem Skelett, die tief eingesunkenen Augen starrten blicklos in die gleißende Helle. Traum und Wirklichkeit, Leben und Tod: nur eins war wirklich – der Lederbeutel an seinem Gürtel und das Pergament, das er enthielt: *Persönlich und streng vertraulich. Nur zu öffnen durch Richard Bouchier Esq., Gouverneur der Ehrenwerten Ostindischen Kompanie, Niederlassung Bombay.*

»Segel an Backbord voraus!«

Der Ruf kam aus dem Fockmast der *Paragon*, einer britischen Fregatte, und verursachte kein sonderliches Interesse an Deck. Seit vier Wochen kreuzte sie in den Gewässern vor der Malabarküste, ohne daß sich etwas Aufregendes ereignet hätte. Lediglich ein Sklavenhändler war gesichtet worden, der jedoch unter Land in die dortigen Untiefen flüchtete, und eine Angria-Galivate*, die sofort wendete und mit Höchstfahrt den stark befestigten Piratenhafen von Gheria ansteuert. Sonst waren nur die in diesem Seegebiet üblichen goanesischen Frachtfahrzeuge zu sehen gewesen sowie Fischer und Perlentaucher, die sich niemals weit von der Küste entfernten. Im großen und ganzen war es bisher eine recht ereignislose Patrouillenfahrt gewesen.

Roger Kelso, Kommandant der *Paragon*, unterbrach seinen Marsch auf der für ihn reservierten Luvseite des Achterdecks, und blickte nach oben.

»Was können Sie ausmachen?«

»Irgend etwas Kleines, Sir, vielleicht ein Rettungsboot. Scheint leer zu sein.«

Es war viel zu heiß, als daß die Meldung irgend jemanden sonderlich interessiert hätte. Der Segelmacher unterbrach sein Nähen nur für die Dauer eines einzigen Stiches. Die Leute der Deckswache, ohnehin ständig auf der Hut vor dem Rohrstock des Bootsmannes, arbeiteten weiter an den Brassen, als hätten sie nichts gehört. Der Schiffsjunge, der gerade aus der Kombüse kam, setzte seine Pütz einen Augenblick auf die Leereling, bevor er die Küchenabfälle über Bord kippte. Selbst der Quartermeister am Ruder hatte keine Lust, seinen Blick von den Segeln oder vom sich gleichmäßig hebenden und senkenden Bugspriet abzuwenden.

* ein indisches Fahrzeug mit Lateinersegel, ähnlich der arabischen Dhau

»Fallen Sie ab, Mr. Heslop«, sagte Kelso. »Wir wollen uns das Boot einmal anschauen.«

»Ruder liegt hart Lee, Sir«, antwortete der Quartermeister und erwartete gleichmütig die Kommandos, die jetzt zwangsläufig folgen würden. Kommandos, die wohl kaum willkommen waren bei einer Besatzung, die während der letzten Stunden ständig Wendemanöver ausführen mußte, um gegen den Wind anzukreuzen. Die nackten Oberkörper waren von der gnadenlosen Sonne so verbrannt, daß die Männer fast wie Eingeborene aussahen.

»Gei auf die Fock!«

Fenton, der Wachoffizier, kümmerte sich nicht um die Gefühle der Leute. Er war durch und durch Marineoffizier, ihm bedeutete die *Paragon* alles, Frau, Mutter, Geliebte und Freundin. Es wäre ihm nie in den Sinn gekommen, darüber nachzudenken, ob sich so viel Mühe wegen eines verlassenen Rettungsbootes lohnte.

»Recht so!«

Die Freiwache stand an der Reling aufgereiht und starrte das langsam näherkommende Boot an. Noch vierhundert Meter, zweihundert, hundert . . .

»Achterrahen backbrassen!«

Bewegungslos lag die *Paragon* jetzt in der tiefblauen See und wartete.

Ruhig und gleichmäßig glitt das Boot vor seinem Behelfssegel heran, der Bug verursachte kaum ein leichtes Kräuseln der spiegelglatten Wasserfläche.

»Fier die Leiter!«

Zwei Gestalten saßen im Heck, eine zur Seite gelehnt und auf das Dollbord gestützt, die andere, nach vorn gebeugt, schien moch immer angestrengt über das weite Meer zu blicken. Ob es sich um einen Lebenden oder einen Toten handelte, war unmöglich zu erkennen.

Kelso wandte sich an den Schiffsarzt, der schon an der Relingspforte stand. »Mr. Foulkes, Sie kommen am besten gleich mit.«

Der Geruch des Todes war ihnen beiden vertraut, besonders natürlich dem Arzt. Nach einem höchst oberflächlichen Durchsuchen der Taschen des Mannes am Dollbord kippten sie seinen längst in Verwesung übergegangenen Leichnam über Bord. Er versank sofort in der blauen Tiefe, tauchte hundert Meter achteraus wieder auf und trieb, das Gesicht nach unten, langsam davon.

»Du führst den Menschen zu seiner Vernichtung. Aber dann sagst Du, kommt wieder her zu mir, ihr Kinder des Menschen.«

Noch nie war Kelso so froh über Fentons selbstverständliche und rasche Reaktion gewesen. Sofort sprach er die bei einer derartigen Gelegenheit erforderlichen Bibelworte, die er von unzähligen Bestattungen her kannte, und an die Kelso sich nie so recht erinnern konnte. Die Seeleute aber erwarteten einen solchen Bibelspruch.

»Am Morgen ist das Gras grün und wächst heran, aber am Abend ist es verdorret, und des Grases Blüte abgefallen, und der Schnitter mähet es ab.«

Fenton sprach noch immer frei aus dem Gedächtnis, umgeben von den barhäuptigen Seeleuten an der Reling, während Foulkes jetzt neben dem zweiten Mann im Heck des Bootes niederkniete, um ihn zu untersuchen.

Vermutlich war er einmal groß und kräftig gewesen, bevor die Sonne und der Verlust jeglicher Feuchtigkeit ihn so ausgedörrt hatten. Er trug die Uniform eines Offiziers der Ostindischen Handelskompanie. Der Degen an seiner Seite hatte einen silbernen Griff, der den Eindruck erweckte, als handele es sich um eine einstmals verliehene Ehrengabe für Tapferkeit vorm Feind. Der Name im Dienstbuch lautete Douglas Jardine, Erster Offizier des Schiffes der Ehrenwerten Ostindischen Kompanie *Marie Galante.*

»Er ist tot?«

Die Frage schien überflüssig, aber Kelso konnte sich nicht dem Eindruck dieser seltsam zwingenden, fragenden Augen entziehen.

»Ja, Sir, aber erst seit ganz kurzer Zeit. Vor einer halben Stunde hätten wir ihn wohl noch retten können.«

»Ich lasse ihn an Bord bringen«, sagte Kelso. Er hatte das Gefühl, daß die Leute eine christliche Bestattung erwarteten. »Das Boot nehmen wir in Schlepp.«

»Aye, Sir.« Der Arzt zögerte und blinzelte im grellen Sonnenlicht. »Ich bitte um Verzeihung, Sir, aber sollten wir nicht diesen Beutel und die Privatpapiere . . .«

»Ja, geben Sie her.«

Er stieg die schwankende Leiter hinauf und betrat das frisch gescheuerte Deck mit einem Gefühl der Erleichterung. Wenn es sich wie hier um eine Angelegenheit handelte, bei der die Grenze zwischen Leben und Tod so schmal war, tat es besonders wohl, die heiße Sonne auf dem Rücken und die warmen Decksplanken unter den Füßen zu spüren, den Wind in der Takelage zu hören.

»Mr. Fenton!« Er stieg die Treppe zum Achterdeck hinauf und bedeutete seinem Ersten Offizier, mit ihm zur Heckreling zu kommen, wo sie ungestört waren. Aber selbst dort spürte er die neugierigen Blicke, die ihnen folgten. Die wildesten Gerüchte würden bestimmt nicht lange auf sich warten lassen.

»Das Boot ist von der *Marie Galante*«, sagte er. »Der Tote, den wir an Bord nehmen, ist Jardine, der Erste Offizier.«

»Douglas Jardine? Den kannte ich, Sir. Wir dienten zusammen als Kadetten auf der *Hercules.*«

»Was für ein Mensch war er?«

»Ein Schotte, Sir. Kein Mann vieler Worte, wenn er sich nicht sehr geändert hatte. Auf alle Fälle ein erstklassiger Seemann.«

»Das muß er wohl gewesen sein, um Erster Offizier auf der *Galante* zu werden.«

Die Gehilfen des Arztes hatten inzwischen den wirklich einem Skelett ähnelnden Leichnam auf eine Bahre gelegt, auf der er nun an Bord gehievt wurde. Das Rettungsboot wurde mit einer langen Schleppleine am Heck festgemacht.

»Bedeutet das, Sir, daß die *Marie Galante* gesunken ist?«

Kelso nahm den Beutel, den er noch in der Hand hielt, und schüttelte das Pergament heraus. »Die Antwort ist hier, glaube ich.«

»Es könnten die Frogs gewesen sein, Sir. Wenn wir wieder im Kriegszustand sind . . .«

»Das wissen wir nicht.«

»Dann vielleicht Piraten: Seit der Zeit von de Souza sind sie wieder recht dreist geworden. Oder die Freibeuter: Holländer und Portugiesen sind sehr stark in der Straße von Mozambique. Schließlich war die *Marie Galante* eine reiche Prise.«

»Aber zu stark. Sie war das beste Schiff der Kompanie, sehr schnell für einen Indienfahrer und so gut bewaffnet wie ein Linienschiff. Ein ganzes französisches Geschwader wäre erforderlich, sie zu versenken, und selbst dann hätte sie ihnen ganz schön zu schaffen gemacht. Ich glaube nicht, daß die Frogs sie gekapert haben.«

»Wer dann, Sir?«

»Hier ist die Antwort«, entgegnete Kelso. »Eine streng vertrauliche Mitteilung für Gouverneur Bouchier. Wir müssen sofort alle Segel setzen und Kurs auf Bombay nehmen.«

2

Sechs Männer saßen um des Gouverneurs Tafel herum, sechs Männer, die soeben ihr Mahl beendet hatten. Trotz der Fülle von schmackhaften Gerichten, die jeder Engländer von Rang als Zeichen seiner Gastfreundschaft notwendig erachtete, selbst hier in der Gluthitze von Bombay, hatten sie den Speisen nur wenig zugesprochen. Es gab Suppe, dann Brathähnchen mit Curryreis, Lammpastete, Eispudding, Süßgebäck und Käse, dazu hervorragenden Madeira und Portwein. Erst als die Damen sich zurückgezogen hatten und die anderen Gäste ihren obligaten Verdauungsspaziergang im Garten unternahmen, konnten die sechs Ratsmitglieder mit ihrer Besprechung beginnen.

»Nabakrishna!« Der Gouverneur klatschte in die Hände und gab dem obersten Khitmugar ein Zeichen, die Vorhänge zu schließen. Es war unerträglich heiß im Raum, trotz der Punkahs*, die ohnehin nicht viel zur Lüftung beitrugen. Den Männern schien es jedoch besser zu ersticken, als das laute Geplärr der Marinekapelle zu ertragen, die auf der Veranda spielte.

Der Gouverneur, Richard Bouchier, saß am Kopfende des Tisches und hielt den verblichenen Lederbeutel in der Hand. Zu seiner Linken saß Turner, der Hafenkommandant, rechts von ihm Kommodore James, Oberbefehlshaber der Flotte der Ostindischen Kompanie.

Weiter unten am Tisch saßen sich zwei Mitglieder des Rates gegenüber, getrennt durch leere Fruchtbecher und Weingläser: Calvin Raikes, ein magerer, humorloser Schotte, und Emmerson, durch Schmerbauch und gemütliches Lächeln dessen genaues Gegenteil.

Am unteren Ende der Tafel saß Roger Kelso, Kommandant der *Paragon.*

Der Gouverneur öffnete den Beutel, holte das Pergament hervor und legte es vor sich auf den Tisch.

»Balfours Bericht ist ganz klar«, erklärte er, »wenn er auch unter Druck geschrieben zu sein scheint.«

»Kein Wunder«, sagte Emmerson, »schließlich hat er sein Schiff und den größten Teil der Besatzung verloren.«

»Mit Ihrer Erlaubnis, meine Herren, werde ich den genauen Wortlaut vorlesen.«

* Indischer Zimmerfächer

Er schob Teller und Käseplatte beiseite, breitete das Pergament vor sich aus und beschwerte die sich hochbiegenden Ecken durch Salzfässer und ein Zigarrenetui, das er aus der Innentasche seines Jaketts holte. Dann las er:

»Bericht von Andrew Balfour, Kapitän des Kriegsschiffes *Marie Galante* der Ehrenwerten Ostindischen Kompanie. Dieser Bericht wird geschrieben am sechsundzwanzigsten Tage des Monats Juli, im Jahr unseres Herrn 1755. Unsere Position ist eine namenlose und anscheinend unbewohnte Insel in der Gruppe der Amiranten, sechs Grad dreißig Minuten südlicher Breite und dreiundfünfzig Grad fünfundvierzig Minuten östlicher Länge. Sie ist zu erkennen an einem Zuckerhutberg im äußersten Westteil, möglicherweise vulkanischen Ursprungs. Im Hauptteil ist sie eine niedrige, stark bewaldete Koralleninsel, in deren Lagune ein Süßwasserbach mündet. Die einzige Einfahrt führt durch eine Lücke im Korallenriff, jedoch ist beim passieren äußerste Vorsicht geboten im Hinblick auf die starken Strömungen und die heftige Brandung, durch die das Einlaufen sehr erschwert wird.
Eure Exzellenz,
Meine Segelorder lautete, wie Ihnen bekannt, so rasch wie möglich die Ladung, bestehend aus Seide, Baumwolle und Gewürzen sowie eine Anzahl von Passagieren, nämlich achtzehn männliche, zwölf weibliche und drei Kinder, an ihren Bestimmungsort zu transportieren.
Zu meinem tiefsten Bedauern muß ich melden, daß mein Schiff vor vier Tagen von einem derart heftigen Zyklon heimgesucht wurde, wie selbst ich ihn auf meinen zahlreichen Reisen in der Javafahrt noch nie erlebt habe. Alle Passagiere einschließlich der Kinder kamen darin um und die gesamte Ladung ging verloren.
Der Orkan traf uns so plötzlich und mit solcher Wildheit, daß sich alle von mir getroffenen Vorsichtsmaßnahmen als nichtig erwiesen. Auf Grund der unheimlichen Windstille vorher hatte ich alles bis auf Marssegel und Fock wegnehmen und die Luken sorgfältig verschalken lassen. Ich wage zu behaupten, daß kein Kapitän sein Schiff in dieser Situation hätte retten können. Fock und Marssegel waren sofort in Fetzen gerissen, und wir versuchten, die *Marie Galante* vor Topp und Takel steuerfähig zu halten.
Der Kampf war bald vorüber. Ein kleineres und leichteres Fahrzeug hätte vielleicht den Sturm abreiten können – obwohl ich

das in Zweifel ziehe – aber ein Dreidecker mit dem Gewicht von sechsundfünfzig Geschützen hatte keine Chance.
Ich will Ihnen nicht die grauenhafte Szene schildern, als die *Marie Galante* kenterte, zumal ich mich nur an wenige Einzelheiten erinnern kann. Einen Augenblick lang befanden wir uns auf dem Kamm einer riesigen Woge, um dann in ein anscheinend endloses Wellental zu gleiten. Sie legte sich dabei völlig auf die Seite, die Masten schnitten unter, und bevor sie sich wieder aufrichten konnte, traf uns die nächste schwere See. Das ist alles, Euer Exzellenz, was ich Ihnen aus eigener Beobachtung schildern kann.«

Der Gouverneur machte eine Pause und trank einen Schluck Madeira.

»Er sagt, sie seien alle umgekommen«, ließ Raikes sich vernehmen. »Ich denke, es gab Überlebende?«

»Und das Geschenk des Nabob«, sagte Emmerson, »erwähnt er das nicht?«

Der Gouverneur schürzte die Lippen und glättete das vor ihm liegende Pergament. »Wenn Sie mir gütigst erlauben wollen fortzufahren?«

»Als ich wieder zu Bewußtsein kam, lag ich auf einem weißen Sandstrand, die Sonne schien, und abgesehen von ein paar verstreut herumliegenden Palmen deutete nichts darauf hin, daß hier jemals ein Zyklon gewütet hatte.«

»Das ist oft so«, bemerkte Turner, der Hafenkommandant. »Die Ruhe nach dem Sturm.«

»Von der *Marie Galante*«, las der Gouverneur weiter, »war nichts zu sehen, obwohl ich auf dem Strand das Rettungsboot entdeckte. Es mußte sich durch irgendein Wunder von seinen Davits losgerissen haben und dann anscheinend unbeschädigt hier angetrieben sein.
Überlebende sah ich zunächst nicht. Als ich mich jedoch so weit erholt hatte, daß ich am Strand entlanggehen konnte, fand ich zu meiner Freude eine kleine Gruppe von Seeleuten, Überlebende der Deckswache.
Zwei von ihnen waren in schlimmem Zustand, und in der Tat starben beide im Verlauf der Nacht. Die übrigen jedoch waren in

guter Verfassung, wenn auch hungrig. Wir hatten keinen anderen Proviant als das Hartbrot aus dem Rettungsboot.
Ich brauche Ihnen die seelischen Qualen nicht zu schildern, die ich während der nächsten Tage durchlebte. Nicht nur bedrückte mich der Verlust des Schiffes und der Tod so vieler unschuldiger Menschen, sondern auch das Verschwinden des unermeßlichen Schatzes. Das Geschenk des Nabob war schließlich meiner Obhut anvertraut worden.
Ich bin, Euer Exzellenz, kein besonders frommer Mann, aber ich gestehe, daß ich während dieser schrecklichen Tage wieder anfing zu beten. Ich hatte das Gefühl, daß meine Gebete erhört wurden, denn die überlebenden Seeleute machten unter der mitreißenden Führung meines Ersten Offiziers, Leutnant Jardine, des Überbringers dieser Botschaft, das Beste aus der Situation und durchforschten die Insel. Dabei fanden sie nicht nur Süßwasser im Überfluß, sondern auch eßbare Beeren von säuerlichem, aber nicht unangenehmen Geschmack, und Rieseneidechsen, die trotz ihres abschreckenden Äußeren ein zartes, wohlschmeckendes Fleisch lieferten. In Kürze war unsere größte Sorge erst einmal gestillt.
Ich brauche Ihnen nicht zu sagen, daß nur ich um das Geheimnis des ungeheuren Schatzes wußte, der jetzt auf dem Grunde des Meeres lag.
Am Morgen des vierten Tages, heute also, enthüllte eine außergewöhnliche niedrige Ebbe ein Gebilde, das wie ein treibendes Faß aussah oder – ich war entschlossen, nicht zu früh irgendwelche Hoffnungen aufkommen zu lassen – vielleicht ein flacher Fels sein konnte. Nur fünf Mann waren zugegen, die anderen befanden sich auf einer Jagdexpedition im Innern der Insel. Leutnant Jardine war ebenfalls geblieben. Mit den restlichen vier Leuten machten wir das Boot klar und ruderten hinaus zu dem von der See überspülten Fels.
Ob eins meiner zahlreichen Gebete erhört worden war, weiß ich nicht, aber der aus dem Wasser ragende Gegenstand war ein Teil unserer Heckgalerie, die um den Salon herumführt. In einer Tiefe von höchstens eineinhalb Metern sahen wir die Tür und die Fenster meiner Kajüte.
Die Truhe mit dem Schatz, bestehend aus Gold, Silber, Rubinen, Smaragden und anderen Edelsteinen, lag dort unter unseren Füßen, erreichbar für jeden beherzten Taucher!
Niemand, nicht einmal Jardine, wußte, was die Truhe wirklich

enthielt, und ich muß gestehen, daß ich ihm gegenüber auch jetzt noch nicht die Wahrheit gesagt habe. Es mag genügen, Ihnen zu melden, daß wir die wertvolle Kiste noch vor Rückkehr der Flut geborgen haben. Wir holten sie aus meiner Kajüte, wo sie unversehrt und wohlversiegelt stand, und übernahmen sie in das Rettungsboot. Die Männer ließ ich Verschwiegenheit schwören und sagte ihnen, daß die Truhe wichtige Dokumente enthalte, die den Rechtsanspruch auf unsere hiesigen Besitzungen bestätigten.

Später trugen Jardine und ich unsere wertvolle Ladung zu einem Versteck, an dem sie sicher liegen wird, bis Sie, Exzellenz, zuverlässige Leute beordern, um sie zu bergen.

Heute schicke ich Jardine und acht unserer kräftigsten Leute mit dem Boot auf den Weg. Sie sollen versuchen, ein Schiff zu treffen, möglichst am Ausgang der Straße von Mozambique. Wenn sie mit Gottes Hilfe ein englisches Fahrzeug finden, könnte die Botschaft in wenigen Wochen in Ihren Händen sein. Andernfalls soll Jardine sie vernichten und Ihnen mündlich von uns berichten, sobald er Bombay erreicht hat.

Ein letztes Wort: Bitte machen Sie sich keine Sorgen wegen der Sicherheit des Schatzes. Nur Jardine und ich wissen, wo er verborgen ist, und ich allein kenne seinen wahren Wert. Selbst wenn dies nicht so wäre: Jardine würde ich mein eigenes Leben anvertrauen.

Ich bin mir klar darüber, daß ich Euer Exzellenz nicht auf die Notwendigkeit der Geheimhaltung hinzuweisen brauche. Wenn auch nur ein einziges Wort vom unermeßlichen Wert dieses Schatzes nach außen dringt, dann werden sich sämtliche Piraten und Freibeuter des gesamten Seeraumes wie die Aasgeier auf uns stürzen. Sie selbst und die Mitglieder des Rates wissen um die Unzahl von Häfen auf den Seychellen, den Komoren, den Amiranten und vor allem auf Madagaskar, in denen sich Piraten und sonstige Desperados verbergen. Sie alle warten nur darauf, daß ein kleineres, schwächeres Schiff vorbeikommt, das sie überwältigen können.

Wer also auf die Insel kommt, Exzellenz, muß mutig und einfallsreich sein und vor allen Dingen von untadeliger Ehrenhaftigkeit. Er täte gut daran, den wahren Grund seines Kommens zu verheimlichen und unter dem Vorwand der Wasserergänzung einzulaufen, was ganz natürlich aussähe.

Ich schlage außerdem vor, Euer Exzellenz, daß er ein von Ihnen gesiegeltes Schreiben mitbringt, wodurch er sich mir gegenüber ausweisen könnte, und ich bete von ganzem Herzen darum, Exzellenz, daß er *bald* kommt.«

Der Gouverneur nahm das Pergament auf, faltete es ordentlich zusammen und steckte es wieder in den Beutel. Keiner sprach ein Wort, nur das eintönige Geräusch der gleichmäßig bewegten Punkah war zu vernehmen und das Brummen der Fliegen an der Fenstergaze. Die Marinekapelle hatte eine Pause eingelegt.

Endlich sprach der Gouverneur. »Zwei Dinge möchte ich Ihnen sagen, Gentlemen. Das erste ist klar: Kein Wort von dem, was heute hier gesagt wurde, darf nach draußen dringen. Bis der Schatz geborgen ist und sicher verwahrt in den Tresoren der Kompanie liegt, darf niemand von Ihnen anderen gegenüber auch nur ein einziges Wort hiervon erwähnen.« Er ballte die Faust, schlug auf den Tisch und wiederholte: »Kein einziges Wort! Das zweite ist folgendes: Der Schatz ist, wie Balfour es richtig ausgedrückt hat, unermeßlich. Ich gehe noch weiter und behaupte, er ist lebenswichtig für die Existenz der Kompanie. Er muß geborgen werden!«

Dann seufzte er. »Vielleicht war es nicht richtig, so viel zu riskieren, aber Sie alle wissen es selbst, die *Marie Galante* war kein gewöhnliches Schiff. Sie war gebaut und bewaffnet wie ein Linienschiff. Wenn irgendein Fahrzeug dazu geeignet war, unseren Schatz sicher zu transportieren, dann die *Marie Galante.*«

Turner, der Hafenkommandant, ein Mann von ungezügeltem Temperament, murmelte ärgerlich: »Es war ein Fehler. Es war ein grober Fehler.«

Der Gouverneur nickte milde. »Vielleicht.«

»Und dürfen wir fragen, wie hoch der Wert des Schatzes ist, den wir nun bergen müssen?«

»Ich kenne den genauen Wert nicht, Gentlemen, aber Sie können sicher sein, daß eine Viertelmillion Pfund nicht zu hoch gegriffen ist.«

3

»Die Frage ist«, sagte der Gouverneur, »wie schnell wir eine Bergungsexpedition auf den Weg bringen können. Die letzten Nachrichten von St. Helena sprechen von einem Gefecht zwischen unserem heimkehrenden Konvoi unter Rossiter und einem französischen Geschwader unter der Führung von Boulleneuve vor den Kapverden. Ob mit oder ohne Erklärung, wir sind eindeutig im Krieg mit Frankreich.«

»Und unsere gesamten Besitzungen in Indien sind bedroht«, warf Emmerson ein.

»So ist es. Wir können kaum etwas von unseren Seestreitkräften hier abziehen, während die Franzosen möglicherweise schon mit vollen Segeln die Malabarküste ansteuern.«

»Aber bestimmt wird die Regierung in London einige Kriegsschiffe zu unserer Unterstützung herschicken«, bemerkte Emmerson.

»Was Monate dauern kann«, sagte Raikes bissig.

»Wenn sie überhaupt kommen«, ließ sich Kelso am unteren Ende der Tafel vernehmen.

Sie wandten sich alle ihm zu, denn trotz seiner Jugend war er nicht jemand, den man ignorierte oder der zu schweigen hatte, wenn die anderen ihre Meinung äußerten. Schließlich war er der jüngste Kapitän der Flotte.

»Was meinen Sie mit: ›Wenn sie überhaupt kommen‹?« fragte Raikes. »Wollen Sie etwa andeuten, die Regierung würde uns hier unserem Schicksal überlassen?«

»Sie wird kaum eine andere Möglichkeit haben, Sir. Unsere Besitzungen in Amerika müssen verteidigt werden, und aus dem Mittelmeer würden uns sowohl die Franzosen als auch die Spanier liebend gern hinauswerfen. Haben wir etwa genügend Kriegsschiffe, um die halbe Welt zu verteidigen?«

Raikes, von Natur aus ohnehin kein freundlicher Mann, musterte den jungen Kapitän mit dem von Wind und Wetter gegerbten Gesicht, der schlanken Figur und schlecht sitzenden Uniform mit offensichtlichem Mißfallen.

»Verzeihung«, sagte er, »ich hatte keine Ahnung, daß ein so bedeutender Stratege unter uns weilt. Wenn Kelso also sagt, wir werden im Stich gelassen, dann müssen wir das akzeptieren und ihm beipflichten.«

»Es ist meine Meinung, Sir«, erwiderte Kelso, nicht im geringsten aus der Fassung gebracht, »oder wenigstens eine plausible Annahme. Unsere Aufgabe ist es zu entscheiden, wie wir den Schatz der *Marie Galante* bergen und gleichzeitig hier in diesen Gewässern unsere Macht demonstrieren können.«

»Der Mann ist nicht nur ein Stratege, sondern auch ein Genie!« rief Raikes. »Wir sollten die ganze Angelegenheit einfach ihm überlassen.«

»Es gäbe Schlimmeres!« bellte Kommodore James dazwischen, der Raikes nicht leiden konnte, während er Kelso schätzte. Diese klare Stellungnahme des Oberbefehlhabers brachte eine plötzliche Spannung in die Runde. Raikes wurde puterrot im Gesicht und wandte sich James zu, als wolle er heftig aufbegehren, schwieg dann aber resignierend vor dem entschlossenen Blick des Kommodore. Statt dessen setzte er eine beleidigte Miene auf und machte dadurch alle eventuellen Vermittlungsversuche von vornherein zunichte.

Somit griff auch niemand anderer ein. Emmerson betrachtete angelegentlich seine Fingernägel, und Turners üblicher Ausdruck von Mißbilligung hatte sich nicht geändert. Der Gouverneur schien nichts gehört zu haben und schenkte sich ein weiteres Glas Madeira ein.

»Was haben Sie im Sinn, Kelso?« fragte Kommodore James. »Sie kennen unsere Stärke in diesen Gewässern – und auch unsere Schwäche. Die *Maid of Kent* und Ihre *Paragon*, zwei in England gebaute Fregatten, sollen eine Küste von tausend Meilen Länge verteidigen.«

»Und die *Mercury*, Sir. Sie muß dieser Tage zurückkehren.«

»Eine Korvette! Wenn die Frogs tatsächlich kommen, mit einer starken Streitmacht: zwei oder drei Linienschiffe mit dem üblichen Geleit. Großer Gott!« Er schlug mit der Faust in die offene Handfläche. »Wenn ich mir dieses Verhältnis zu unseren Ungunsten ansehe, dann möchte ich wissen, was unsere hohen Herren in London eigentlich von uns erwarten! Müssen wir denn immer Wunder vollbringen?«

»Mit den Schiffen, die wir hier haben, und dem Geist, der unsere Männer beseelt, sollten wir nicht gar so schlecht abschneiden«, sagte der Gouverneur beschwichtigend. »Jedermann weiß – und ich vermute, auch die Franzosen –, daß ein britischer Seemann ein Dutzend Frogs aufwiegt.«

»Schöne Worte!« knurrte der Kommodore. »Aber werden sie uns helfen, Indien zu retten? Die Kommandanten wie Kelso hier haben ein Recht darauf, daß sie auch einmal, wenigstens ein einziges Mal, gegen eine Übermacht kämpfen können, die nicht mehr als zwei oder drei gegen eins beträgt.«

Alle schwiegen. Keiner hatte Lust, darüber zu diskutieren, da sie im Grunde wußten, daß der Kommodore mit seiner pessimistischen Darstellung der Situation recht hatte. Die Verteidigung der gesamten Besitzungen an der Malabar- und Koromandelküste sowie in Bengalen ein paar jungen, unerschrockenen Kommandanten zu überlassen, grenzte an Verantwortungslosigkeit, ja an Wahnsinn. Der Einsatz war unendlich hoch, das Risiko ungeheuer. Franzosen und Holländer, an deren Stolz noch immer die Schmach der Niederlage nagte, brannten darauf, die Scharte auszuwetzen. Europäische Freibeuter und indische Angria-Piraten vom kriegerischen Stamm der Mahratten waren eine ständige Bedrohung. Das 39. Infanterieregiment, das aus englischen Truppen in Kompaniestärke und etwa tausend Eingeborenen bestand, machte sich sicherlich gut an Land, aber hier kam es nur auf die Seestreitkräfte an, diese allein zählten.

»Sagen Sie uns, was Sie im Sinn haben«, wiederholte der Kommodore.

Kelso blickte sie alle ruhig an. Sein Gesichtsausdruck, seine ganze Haltung zeigte nicht die geringste Unsicherheit, die man bei einem so jungen Kapitän gegenüber weitaus älteren Mitgliedern des Rates möglicherweise hätte erwarten können.

»Es scheint mir, Sir«, sagte er, »daß jeder Kurs, den wir einschlagen, Risiken enthält; also sollten wir diese gegeneinander abwägen und den Kurs wählen, der noch die größte Aussicht auf Erfolg hat.«

»Brillant!« bemerkte Raikes höhnisch.

»Wenn die Franzosen kommen, wie Sie sagen, dann werden sie in großer Stärke anrücken. Ich kann aber nicht einsehen, warum sie Malabar angreifen sollten.«

»Was?« Raikes musterte ihn mit unverhohlener Verachtung. »Weil dies hier die bedeutendste Niederlassung ist, darum! Wenn sie Bombay nehmen, haben sie ganz Indien.«

»Ich bin anderer Meinung.«

»*Sie* sind anderer Meinung!«

»Ich glaube nicht an die Schlußfolgerung, wer Bombay und die Malabarküste besitzt, kontrolliere ganz Indien. Sicher, Bombay ist wichtig, aber Madras genauso. Ich möchte daran erinnern, daß die Kompanie ihre Stützpunkte in der Carnatic* schon viele Jahre besaß, bevor sie nach Bombay kam. Die Malabarküste ist reich, aber nicht so reich wie Bengalen.« Kelso machte eine Pause und beugte sich weit über den Tisch. »Wenn ich französischer Admiral wäre, Gentlemen, würde ich nicht nach Bombay segeln. Mein Angriffsziel

* Südindien, zwischen Malabar- und Koromandelküste

wäre Fort William oder Fort St. George.«

Die Marinekapelle pausierte noch immer, und in diese Stille hinein klang das Geräusch der Punkah so verführerisch wie das Rascheln seidener Frauengewänder. Irgendwo auf der Maidan* heulte ein Hund, eine Hündin aus des Gouverneurs Zwinger antwortete.

»Es wäre ein kühner Plan, Kelso«, gab der Gouverneur zu, »aber könnte der Führer eines Verbandes es riskieren, unsere Besitzungen im Osten anzugreifen, bevor sein Rücken gegen unsere Streitkräfte hier im Westen gedeckt wäre?«

»Nur zwei Fregatten und eine Korvette, Sir! Der Kommodore hat unsere Schwäche schon hervorgehoben.«

»Aber die Frogs wissen das nicht – wenigstens hoffen wir das. Sie würden sicherlich zuerst versuchen, Bombay zu nehmen.«

»Das erscheint jedem plausibel«, ließ Raikes sich vernehmen, »der nicht ein kompletter Narr ist. Wir sind nicht völlig unerfahren in diesen Dingen, Kelso. Nicht umsonst wurden wir zu Ratsmitgliedern ernannt.«

»Dessen bin ich sicher, Sir. Ich sage ja nur, daß ich so handeln würde, wenn ich der französische Admiral wäre.«

»Sie sind also noch dümmer als er«, erwiderte Raikes. »In der Tat, von unserem Standpunkt aus ist es schade, daß Sie nicht auf der gegnerischen Seite stehen.«

Kelsos ausdrucksloses Gesicht verriet keinerlei Empörung über diese Beleidigung. »Ein weiterer Grund, warum die Franzosen möglicherweise an Bombay vorbeifahren würden, ist die Bequemlichkeit«, sagte er. »Es ist mindestens fünf, wahrscheinlich sogar sieben Monate her, seit sie Le Havre verlassen haben. Vielleicht sind sie in Port Mahon zur Proviant- und Wasserergänzung gewesen, vielleicht auch nicht. Wenn sie hier ankommen, werden sie nach frischem Proviant und Wasser ausgehungert sein. Sie werden sich nach einem Spaziergang an Land sehnen und nach der Möglichkeit, die Schäden zu reparieren, die während einer so langen Seereise zwangsläufig aufgetreten sind.«

»Sie denken, daß sie nach Pondicherry wollen?« fragte der Gouverneur und nannte den befestigten französischen Stützpunkt an der Koromandelküste beim Namen.

»Oder nach Chandernagore. Wenn ich der französische Verbandsführer wäre, würde ich auf jeden Fall erst eine befreundete

* großer freier Platz oder Esplanade in indischen Städten

Basis aufsuchen. Ich würde Zeit einkalkulieren für Proviant- und Wasserergänzung, den Leuten ein paar Ruhetage gönnen und mich erst einmal über die augenblickliche Situation hier informieren. Meines Erachtens spricht jeder Grund dafür, daß die Franzosen zunächst an die Ostküste segeln. Das ist möglicherweise nur ein Aufschub, aber Bombay schwebt in keiner unmittelbaren Gefahr.«

Wiederum entstand ein Schweigen, das lediglich unterbrochen wurde durch das Geschirrklappern und den Singsang der Köche in der Küche. Am Tisch war alles ruhig. Der Gouverneur und seine Ratsmitglieder saßen da wie Richter, die schweigend über diese Aussagen nachdachten. Lediglich Raikes drängte es zu einer Stellungnahme.

»Unsinn!« sagte er. »Sie würden am besten Ihren Mund halten, Kelso, damit Sie nicht so törichtes Zeug von sich geben.«

»Stopp!« Emmerson hob die Hand. »Ich bin dessen nicht so sicher. Kelso hat nicht ganz unrecht.«

»Quatsch!« murrte Raikes.

»Das ist *Ihre* Meinung!«

»Die auf Erfahrung beruht«, brauste Raikes auf. »Wenn Sie so lange hier draußen wären wie ich . . .«

»Gentlemen, Gentlemen!« beschwichtigte der Gouverneur. »Das ist weder der Ort noch die Zeit für Streit. Kelso hat einen Vorschlag gemacht, der unser Handeln klar festlegt, wenn wir ihn akzeptieren.«

»*Wenn* wir ihn akzeptieren!« knurrte Raikes.

Der Gouverneur zögerte lange genug, um ihm einen mißbilligenden Blick zuzuwerfen. »Ob wir es mögen oder nicht«, fuhr er unbeirrt fort, »in Kelsos Argumenten liegt Logik, und ich, für meinen Teil, würde nicht sagen, daß er unrecht hat.«

»Aber, Sir –!« protestierte Raikes.

»Gleichfalls«, fuhr der Gouverneur fort, »würde ich nicht sagen, daß er recht hat.« Er spreizte die Finger. »Wer kann voraussehen, was die Franzosen tun werden? Weder ich noch Kelso hier, noch sonst irgendeiner von uns. Wir sollten daher, wie Kelso vorschlägt, den Kurs wählen, der die geringsten Risiken enthält. Natürlich sollten wir dabei im Auge behalten, daß der Schatz der *Marie Galante* irgendwie geborgen werden muß.«

»Und wie entscheiden wir?« fragte Raikes in aggressivem Ton.

»Zuerst«, sagte der Gouverneur, »indem wir darüber abstimmen, ob Kelsos Argument gut ist.« Er ignorierte Raikes' verächtliches Schnauben und wandte sich an den Hafenkommandanten. »Turner, was ist Ihre Meinung?«

»Wozu?« Turners Gesicht, strohfarben durch die Nachwirkungen der Gelbsucht und von schlechter Gesundheit gezeichnet, ließ erkennen, daß er Schwierigkeiten hatte, der Unterhaltung zu folgen.

»Ob Bombay frei von unmittelbarer Bedrohung ist, wie Kelso meint.«

»Kelso!« Turner starrte mißbilligend zum unteren Ende der Tafel. »Was weiß der davon?«

»Ja, in der Tat, was soll der schon wissen!« echote Raikes.

»Pflichten Sie ihm bei?« fragte der Gouverneur jetzt in scharfem Ton. »Das ist alles, was ich von Ihnen wissen will.«

»Beipflichten? Natürlich nicht.«

»Gut.« Mit einer ärgerlichen Bewegung wandte sich der Gouverneur an den Schotten. »Raikes? Ich nehme an, Sie sind derselben Meinung?«

»Ihre Annahme ist richtig, Sir«, sagte Raikes in arrogantem Ton, der schon an Frechheit herankam. »Und ich frage mich, ob es klug ist, unsere Zeit damit zu vertrödeln, über die phantastischen Theorien eines jungen Fregattenkapitäns zu diskutieren.«

Durch seine lange Erfahrung mit Ratssitzungen bei Temperaturen, die selbst eine Stunde nach Sonnenuntergang noch immer fast unerträglich heiß waren, gequält von Fliegen und Myriaden kleinerer Insekten, wußte der Gouverneur, wie leicht unter diesen Umständen selbst der ruhigste Mensch zu Wutausbrüchen getrieben werden konnte. Er hatte sich selbst daher stets straff in der Hand. Aber jetzt war er wirklich wütend und schlug mit der Faust auf den Tisch.

»Wir diskutieren Kelsos Vorschlag, weil ich es will! Für mich ist er nicht phantastischer als manch anderer Vorschlag, den ich aus dieser Runde schon gehört habe. Kelsos Argumente sind logisch, und ich bestehe darauf, daß sie ernsthaft diskutiert werden.«

Raikes, jetzt ebenfalls wütend, setzte sich in seinem Stuhl zurück und sagte bissig: »Sie bestehen darauf. Nun, ich für meinen Teil habe ihn ernsthaft geprüft und halte ihn noch immer für Unsinn.«

Der Gouverneur schluckte seinen Ärger herunter und blickte über den Tisch. »Emmerson?«

Der dicke Kaufmann litt noch mehr unter der Hitze als die anderen, aber er war von ausgeglichenem Naturell. »Ich weiß nicht recht, Sir. Wenn Turner und Raikes nicht so ablehnend wären, würde ich Kelsos Theorie für richtig halten. Warum sollten die Franzosen nach einer langen und ermüdenden Überfahrt ihre Energie hier in Bombay vergeuden? Warum sollten sie nicht erst einmal zur Koromandelküste oder nach Bengalen weitersegeln? Dort könnten sie in Ruhe Reparaturen ausführen und Proviant ergänzen, bevor sie mit dem Angriff beginnen. Mir scheinen Kelsos Argumente zutreffend, aber«, er hob die Schultern, »ich bin schließlich kein Experte.«

»Gut.« Der Gouverneur nickte und wandte sich dann dem Mann an seiner Rechten zu. »Kommodore?«

Kommodore James, ein kleiner, schweigsamer und zäher Mann in Kompanieuniform, überragte mit seinem Kopf kaum die Weinflaschen auf dem Tisch. Er war eine bekannte und respektierte Erscheinung in Bombay, der am längsten dienende Offizier und der Begründer der Marine der Ostindischen Kompanie. Trotz seiner kleinen Statur war er ein Mann, mit dem man rechnen mußte, und zwar sowohl wegen seiner scharfen Zunge als auch wegen seines Rufes als geschickter und mutiger Duellant. Er war nicht streitsüchtig, aber seine jeweiligen Gesprächspartner hüteten sich, irgendwelche Differenzen so weit gehen zu lassen, daß sie als persönliche Beleidigung aufgefaßt werden konnten.

»Ich habe Kelsos Überlegungen und Raikes' Gefasel zugehört«, sagte er. »Der Gouverneur hat recht, daß niemand voraussagen kann, was die Frogs tun werden, aber meiner Ansicht nach sind Kelsos Argumente richtig. Wir sollten voraussetzen, daß Fort St. David oder Fort St. George das erste Angriffsziel sein werden und daß wir hier in Bombay noch eine Atempause haben, die uns Zeit läßt, den Schatz des Nabob zu bergen.«

Raikes starrte wütend die kleine Gestalt auf der anderen Seite des Tisches an und protestierte: »Aber das Risiko!«

»In allem, was wir tun, steckt ein Risiko«, sagte der Kommodore. »Unsere Anwesenheit in Indien beruht auf Risiko. Wir können hier sitzen und nichts tun in der Hoffnung, daß die Franzosen an uns vorbeifahren, oder wir können handeln und ein Schiff zu den Amiranten schicken.« Nach einer Pause fügte er hinzu: »Gleichgültig, ob unsere Entscheidung sich als richtig oder falsch erweist, das Direktorium in London würde es uns keinesfalls verzeihen, wenn wir einen Schatz im Wert von einer Viertelmillion Pfund verlieren.«

»Die Pest über diesen Schatz«, murmelte Raikes. »Können Sie ihn höher einstufen als die Sicherheit Ihrer Beamten in Bombay?«

»London wird es anders sehen«, warf der Kommodore ein. »Sie würden es uns nie verzeihen, wenn wir nicht einmal einen Versuch unternähmen.«

Raikes wurde immer wütender und unruhiger. Sein mageres Gesicht war fahl, seine Lippen zitterten, als er sich jetzt an den Gouverneur wandte. »Was sagen Sie dazu, Sir? Ist es nicht unsere oberste Pflicht, die Interessen der Kompanie zu wahren? Sollen wir diese Pflicht verletzen, auch wenn es um eine Viertelmillion Pfund geht?«

Der Gouverneur hob beschwichtigend die Hand. »Es ist keine Rede davon, daß wir unsere Pflichten verletzen«, sagte er. »Was auch passiert, natürlich müssen wir Bombay verteidigen. Was der Kommodore und, wohl auch Emmerson sagt, ist, daß wir den Schatz bergen *und* Bombay verteidigen können. Wir werden ein Schiff, etwa die *Paragon*, so schnell wie möglich zu den Amiranten schicken und hoffen, daß sie mit dem Schatz zurückkehrt, bevor die Frogs Bombay angreifen.«

»Und wenn das nicht der Fall ist?« bohrte Raikes weiter. Wenn Kelsos Argumente sich als falsch erweisen?«

Der Gouverneur hob sein Glas und hielt es vor die Augen, als könne er aus dem reflektierten Sonnenlicht die Zukunft ablesen.

»Wenn Kelsos Argumente nicht richtig sind, wird das Risiko für unsere Besitzungen an der Malabarküste desto größer. Aber während einerseits die Kompanie uns nicht dafür danken wird, daß wir dieses Risiko auf uns nehmen, wird sie es uns andererseits bestimmt nicht verzeihen, wenn wir nichts zur Wiedererlangung des Schatzes unternehmen.«

Raikes spürte, daß er besiegt war. Böse blickte er Emmerson, den Kommodore und endlich den Gouverneur an. »Ihre Entscheidung, Sir?«

»Meine Entscheidung, Gentlemen, ist die, daß die *Paragon* ohne Verzögerung ausläuft und zu den Amiranten segelt.« Er blickte am unteren Ende der Tafel den jungen Kapitän an, dessen hageres Boxergesicht noch immer keinerlei Gemütsbewegung verriet. »Wir sind in Ihrer Hand, Kelso. Sie kennen das Risiko und die Notwendigkeit raschen Erfolges.«

Er stand auf und hob sein Glas. »Auf eine rasche und erfolgreiche Fahrt, Kelso. Möge Ihnen das Glück zur Seite stehen, mögen Sie Kapitän Balfour bei guter Gesundheit und den Schatz sicher verwahrt vorfinden.« Er hob sein Glas noch höher. »Und auf Ihre rasche Rückkehr nach Bombay.«

4

Die Ausrüstung und Verproviantierung der *Paragon* ging mit beinahe unziemlicher Hast vor sich. Niemand, am wenigsten die Dockarbeiter, schätzten es, während der Tageshitze zu arbeiten, aber Kelsos Ruf, verstärkt durch seine Erfolge bei früheren Unternehmungen, jagte Furcht in die Herzen der Eingeborenen. Den ganzen Tag und manchmal bis tief in die Nacht hinein erklang hämmern, rattern der Handwinden, klacken der Spills und das Getrappel nackter Füße auf dem Deck. Munitionskisten, Wasser und Fleischfässer sowie anderer Proviant wurden an Bord gehievt. Ein neuer Kreuzmast wurde eingesetzt, das stehende Gut heruntergenommen und repariert. An Deck arbeiteten Stückmeister und seine Maaten mit Geschützrohren, die zu heiß zum Anfassen waren.

Und noch immer war Kelso nicht zufrieden. »Mr. Smithson«, rief er dem Verpflegungsoffizier zu, »wie lange dauert es noch?« Ohne dessen Antwort abzuwarten, wandte er sich an den Ersten Offizier. »Mr. Fenton! Treiben Sie die Leute dort zur Arbeit!«

Als der neue Kreuzmast eingesetzt war, begann das Aufheißen und Anbringen der Rahen, danach das Anschlagen der Segel. Der Geruch des Kalfaterns und Teerens lag ständig in der Luft. Langsam (nach Kelsos Maßstab) nahm die *Paragon* wieder Gestalt an.

»Bringen Sie sich und Ihre Leute nicht um«, mahnte der Kommodore, als er den Kommandanten am Ende eines langen und heißen Tages noch immer an Deck sah. »Ein paar Stunden werden keinen Unterschied machen.«

»Sie würden es im Falle eines Angriffs auf Bombay«, sagte Kelso. »Was ich auch bei der Sitzung als meine Theorie verkündet habe: Ich beabsichtige, ohne die geringste Verzögerung nach Bombay zurückzukehren.«

Der Kommodore brummte, während sie sich auf dem Achterdeck gegenüberstanden: »Besser einen Tag später zurückkommen als gar nicht.«

»Wie meinen Sie das, Sir?«

»Diese übertriebene Aktivität könnte einigen Beobachtern zu denken geben. Wenn die Nachricht vom Schatz des Nabob durchsickert, wird es nicht nur rauhe See sein, mit der Sie sich herumschlagen müssen.«

Kelso schwieg. Er begriff, daß er bei seinem Eifer die elementarsten Vorsichtsmaßnahmen außer Acht gelassen hatte. Um sein Auslaufen zu erklären, war das Gerücht verstreut worden, daß ein Konvoi von Ostindienfahrern unterwegs sei und ein Schiff der Marine ihm wie üblich entgegensegeln sollte. Aber warum sollte ein solches Routineunternehmen derartigen Eifer erfordern?

Geheimhaltung war vor allen Dingen wichtig. Der Kommodore hatte recht. Wenn auch nur ein einziges Wort vom Schatz der *Marie Galante* durchsickerte, hatte Kelso jeden Freibeuter des Ostens in seinem Kielwasser. Der Indische Ozean wimmelte von ihnen, besonders im Seegebiet der Amiranten, der Seychellen, der Komoren und der zweitausend Meilen langen Küste von Madagaskar. Überall gab es dort unzählige kleine Häfen, in denen die Seeräuber lauerten. Diese Leute riskierten alles, und eine Viertelmillion Pfund war ein verlockender Köder.

Am Ende eines weiteren langen Arbeitstages stieg Kelso über die Gangway zur Pier hinunter und war sich klar darüber, daß wirklich nichts mehr getan werden konnte. Bis auf die Pulverfässer, die üblicherweise zuallerletzt übernommen wurden, war die *Paragon* auslaufbereit. Er blickte sich noch einmal um und betrachtete die Takelage, die sich in voller Schönheit gegen den Abendhimmel abhob, die Rahen mit den festgemachten Segeln und die klare Linienführung vom Heck bis zum Bugspriet. Morgen bei Hochwasser würde die *Paragon* Segel setzen und auslaufen.

»Sie ist wirklich ein prächtiger Anblick, Sir.«

Er hatte Fenton auf der Pier nicht bemerkt, war aber nicht weiter überrascht, ihn hier zu finden. Sein Erster Offizier benahm sich wie eine Glucke mit einem einzigen Küken, wenn es die *Paragon* betraf. Eines Tages, dachte Kelso, wird er sie führen. Ich werde im Kampf fallen oder, wenn ich länger in diesem Pesthafen bleibe, an irgendeiner Krankheit sterben. Es tröstete ihn zu wissen, daß die *Paragon* dann in so gute Hände übergehen würde.

»Wir werden das Pulver beim ersten Tageslicht übernehmen«, sagte er, »denn wir wollen auf jeden Fall das ablaufende Wasser ausnutzen.«

Fenton antwortete nicht, worüber sich Kelso wunderte. Dann fiel ihm die Warnung des Kommodore ein, und er fügte hinzu: »Je eher wir auslaufen, desto früher stehen wir beim Konvoi.«

Noch immer schwieg Fenton.

Kelso sah ihn an, bemerkte aber nichts Besonderes außer den scharfen Linien seines Gesichts. Vielleicht ist Fenton nur müde, dachte er, und ließ die Angelegenheit auf sich beruhen.

Dann schritt er über das Kopfsteinpflaster der Pier, wobei er sorgfältig Pollern, Taurollen und aufgestapelter Ladung auswich, bis er zur Straße kam. Es war noch immer unerträglich heiß, und der Gestank der Abwässer, der aus den Gräben stieg, lag in der Luft. Hin und wieder ließ ihn ein Rascheln im Gebüsch, das den Weg säumte, zum Degen greifen, auch wenn keine Bewegung zu sehen war. Vielleicht ein Dacoit*? Oder eine Hyäne? Auf alle Fälle ging er vorsichtshalber in der Straßenmitte.

Das Bild änderte sich, als er das Hafengebiet verlassen hatte. Bungalows mit breiten, überhängenden Dächern säumten jetzt den Weg, Wohnhäuser der Beamten und Angestellten der Ostindischen Kompanie. In den Gärten waren gepflegte Rasenflächen, Blumenbeete und Buschwerk. Der Duft von Frangipani** füllte die Luft.

Kelsos eigener Bungalow, bescheiden für einen Offizier seines Ranges, lag auf einer Anhöhe, von der er Hafen und Reede überblicken konnte. Morgens beim Aufstehen, wenn die Luft noch frisch war und der Frühdunst über der See lag, sah man Ostindienfahrer mit breitem Bug wie Hofdamen knicksen, und weiter draußen zeigten sich die schnittigen Kriegsschiffe der Marine.

Padstow, sein Steward, erwartete Kelso auf der Straße.

»Dachte, Sie würden nicht mehr kommen, Sir. Ich konnte mich nicht entscheiden, ob ich gehen und das Dinner durch diese Stümper verderben lassen oder ob ich bleiben sollte und sicherstellen, daß Sie ein gutes altenglisches Ziegenragout mit Klößen genießen können, wenn man Ihnen nicht die Kehle durchgeschnitten hat.«

»Ich habe keinen Hunger.«

Padstow, der eine Laterne trug, die aber die Dunkelheit ringsum eher noch hervorhob als erhellte, schnalzte bedeutungsvoll mit der Zunge. »Kein Wunder, Sir, wenn Sie den ganzen Tag in dieser Sonnenglut arbeiten.«

»Nun, es ist jetzt vorbei. Beim Morgenhochwasser laufen wir aus.«

»Aye, aye, Sir!« Padstows Stimme klang erfreut. »Für mich kann es nicht früh genug sein.« Er war ein kleiner, breitschultriger Cornishman mit Salzwasser in den Adern. Jetzt mußte er mit hocherhobener Laterne in der Hand laufen, um mit Kelso Schritt zu halten.

»Hafen ist gut für Landratten, Sir.«

»Sie konnten es aber gar nicht abwarten, nach der letzten Reise an

* Straßenräuber in Indien und Burma

** Roter Jasmin

Land zu kommen, soweit ich mich erinnere.«

Padstow grinste. »Immer dasselbe, Sir. Nach ein paar Wochen harten Kreuzens unter des Bootsmanns Fuchtel und dem Schwitzen in der heißen Sonne erscheinen einem die Kneipen, die Spieltische und die Mädchen äußerst verlockend. Aber zwei, drei Tage lockeres Leben, wie der Pater es nennt, genügen, und ich bin wieder bereit für die See.«

»Nun, Sie können sich Ihren Wunsch morgen früh erfüllen.«

»Ja, Sir.« Er hielt die Laterne in Armeslänge vor sich ausgestreckt, als ein Schatten über den Weg huschte. Es war jedoch nur ein Hund.

»Wissen Sie, wie lange wir wegbleiben werden, Sir?«

»Kommt darauf an. Zunächst müssen wir gegen den Monsun kreuzen. Das stört uns jedoch nicht, denn was uns behindert, hilft dem Konvoi.«

Padstow antwortete nicht, und zum zweitenmal an diesem Abend spürte Kelso Unbehagen. Waren sowohl Fenton wie auch Padstow skeptisch gegenüber seiner Geschichte? Ahnten sie, daß es gar keinen Konvoi gab? Er war der Meinung, daß er durch Fragen die Angelegenheit nur noch schlimmer machen könne.

Seine indischen Diener waren auf der Terrasse, um ihn zu begrüßen, obwohl Padstow murrte und der Geruch von angebranntem Ragout aus der Küche herüberwehte. Es waren drei, eine charmante indische Familie: Ramsantose, sein Khitmugar*, der bei Tisch servierte und den größten Teil seiner Zeit mit Schwatzen auf dem Markt verbrachte; Sukdeba, dessen Frau, die als Köchin fungierte, und ihre Tochter, Irina.

Diese war offiziell eingestuft als Matrani oder Dienerin, aber für Kelso war sie mehr eine Ehefrau. In Chintz und silbernem Unterrock, weißer Musselinjacke, weißem Schleier und mit reichem Silberschmuck verziert, stand sie mit zusammengepreßten Händen als Geste des Willkommens da. Sie war sehr jung, mit makellosem und von der Sonne noch nicht gezeichnetem Gesicht.

»Willkommen, Master«, sagte Ramsantose und trat, sich verbeugend, zur Seite. »Das Dinner erwartet Sie.«

Kelso nickte und berührte Irina im Vorbeigehen leicht am Arm. »Laßt mir ein paar Minuten Zeit.« Er ging zum Schlafzimmer und übersah den üblichen Wettstreit zwischen Padstow und dem Mädchen. Wie gewöhnlich war es Padstow, der gewann. Er folgte seinem

* oberster Diener

Herrn ins Schlafzimmer und schloß die Tür.

»Ich habe Ihre zweitbeste Uniform herausgelegt, Sir. Die Dusche ist aufgefüllt.«

»Danke, Padstow.«

»Ein frisches Hemd, Sir, und Ihre bequemen Schuhe. Sonst noch etwas, Sir?«

»Nein, danke.« Kelso entledigte sich bereits seiner verschwitzten Kleidung und warf sie auf den Boden. »Am besten packen Sie gleich die Seekiste und legen meine Sachen für morgen zurecht. Wir werden sehr früh auslaufen.«

»Aye, aye, Sir.«

Während des Bades summte Kelso leise vor sich hin. Das Wasser war lauwarm, aber trotzdem noch erfrischend. Genau wie sein Steward sehnte auch er sich danach, wieder auf See zu sein. Es gab nichts Schöneres als die frische Seebrise, den Geruch des Salzwassers und die rhythmische Bewegung des Decks, wenn das Schiff die trägen Gewässer des Hafens hinter sich ließ und in die offene See steuerte.

Der Schatz der *Marie Galante* regte ihn nicht weiter auf (es war für ihn nur ein weiterer Auftrag), aber der Gedanke an lange Tage auf dem unermeßlichen Ozean und an Nächte unter dem tropischen Sternhimmel erfüllte ihn mit Freude. Er wünschte, daß Irina ihn hätte begleiten können.

Sie kam nach dem Essen zu ihm ins Schlafzimmer, als Padstow sich bereits in seine Hängematte unter den Bäumen zurückgezogen hatte und ihre Eltern schon auf der Veranda schliefen.

»Master!« Leise wie ein Geist trat sie ein und stand plötzlich neben seinem Bett. Als er die Hand nach ihr ausstreckte, löste sie die Schließe auf ihrer Schulter und ließ den Sari zu Boden gleiten. Im Mondlicht, das durch das offene Fenster schien, sah sie unglaublich jung und schön aus. Ihr nackter Körper war so glatt wie eine wundervolle Skulptur und von bezaubernder Gestalt. Das dunkle Haar fiel ihr bis auf die Taille herab.

»Komm!«

Sie huschte zutraulich wie ein junges Tier in seine Arme.

Dann liebten sie sich leidenschaftlich. Das Mondlicht vergoldete ihre Leiber, das Zirpen der Zikaden und das tiefe Quaken der Ochsenfrösche ergab eine reizvolle Serenade und der süße, unvergeßliche Duft der Mimosen lag schwer in der Luft. Kurz nach Mitternacht schliefen sie zufrieden ein.

Es war noch immer dunkel, als Kelso erwachte. Der Mond war

inzwischen untergegangen und der Nachthimmel im Fensterausschnitt sternenübersät. Die Luft wirkte jetzt kühl. Als sich Kelso bewegte, schlang das Mädchen wie schutzsuchend die Arme um ihn.

Er setzte sich jedoch auf, irgend etwas hatte ihn gestört.

Kein Laut war zu hören außer Irinas ruhigen Atemzügen und dem Trillern eines Nachtvogels draußen im Gebüsch. Die Frösche und Zikaden hatten ihr Konzert beendet. Nach Kelsos Schätzung mußte es etwa eine Stunde vor Anbruch der Morgendämmerung sein.

Als er vollends wach wurde und seine Augen sich an die Dunkelheit gewöhnt hatten, konnte er die Umrisse von Tisch und Stühlen erkennen, sah seine zweitbeste Uniform an der Wand hängen – nichts Ungewöhnliches war zu entdecken.

Und doch – als er leise aus dem Bett stieg und seine Füße den Boden berührten, erwachte ein Schatten am entfernteren Ende des Raumes zu plötzlichem Leben.

5

Es war ein harter, entschlossener Schatten, der jetzt in Kelsos Rippen explodierte und ihn zu Boden warf. Im Fallen sah er einen Körper, nackt bis auf ein Lendentuch, und eine Hand, die einen Dolch umklammerte. Einen Augenblick lang hob sich des Angreifers Silhouette gegen den Nachthimmel ab, dann war er verschwunden.

»Was ist?« Irina war erwacht, hatte sich aufgesetzt und das Laken über ihre nackte Brust gezogen.

Kelso sprang auf und stürzte zum Fenster, konnte aber nichts wahrnehmen außer der Hängematte auf der Veranda und den Büschen dahinter.

»Padstow!«

In aller Eile warf Kelso ein Hemd über und zog gerade seine Breeches an, als der Steward in der Tür erschien.

»Haben Sie jemanden gesehen, Padstow?«

»Nein, Sir.«

»Ein Mann war im Zimmer, ein Eingeborener. Laufen Sie zur Klippe, vielleicht können Sie ihn noch entdecken.«

»Aye, aye, Sir.«

»Und seien Sie vorsichtig, er hat einen Dolch.«

Diese Warnung schien ihm zwar unnötig, denn er wußte von früheren Beobachtungen her, daß sein Steward ein hervorragender Kämpfer war. Es beruhigte ihn jedoch noch mehr, als er sah, wie Padstow plötzlich grinsend ein Messer in der Hand hielt, das er mit einer blitzschnellen Bewegung aus dem Gürtel gezogen hatte.

»Wer war hier?«

Irina hatte sich erhoben und stand in all ihrer Schönheit im Zimmer. Verängstigt hielt sie noch immer das Laken vor ihre Brust.

»Ein Eindringling, möglicherweise ein Dacoit.« Kelso zündete die Lampe an und beleuchtete die Stelle, an der er den Schatten gesehen hatte.

Zuerst konnte er nichts Ungewöhnliches entdecken. Seine Seekiste war geschlossen, Degen und Gurt lagen auf dem Tisch und seine Pistolen, ein Geschenk des Gouverneurs, auf dem Stuhl, wo er sie abgelegt hatte. Als er sich jedoch seiner an der Wand hängenden Uniform zuwandte, sah er einige Papiere auf dem Boden liegen.

»Was hat er gestohlen?« fragte Irina, die sich in der ihr eigenen Scheu rasch den Sari umgewickelt hatte und jetzt mit Kelso zusammen auf dem Boden kniete.

»Ich weiß nicht.« Er sammelte die Papiere ein und legte sie auf den Tisch. »Geld, Ladeschein für das Pulver, eine Karte.«

»Was für eine Karte?« Die Frage überraschte ihn, und ein schneller Seitenblick auf Irinas Gesicht bestätigte ihm ihr eifriges Interesse.

»Die Einfahrt nach Bombay, nichts Geheimes.«

»Ist das alles?«

»Scheint so.« Dann legte er ihr die Hände auf die Schultern und zwang sie, ihm ins Gesicht zu blicken. »Was meinst du damit *›ist das alles‹*?«

Sie senkte den Blick. »Nichts.«

»Was sollte ich denn noch bei mir haben? Alles Wichtige ist im Kartenraum der *Paragon.*«

»Alles?«

»Ja.« Jetzt griff er ihr unter das Kinn und zwang sie erneut, ihn anzusehen. »Was meinst du eigentlich? Woran denkst du?«

Sie zögerte einen Augenblick, dann, offensichtlich bestürzt, rief sie: »Was ist mit dem Schatz?«

Wie ein kalter Schock durchfuhr es Kelso. Ohne es zu merken, packte er ihre Schultern fester und fragte erregt: »Was für ein Schatz?«

Vor Schmerz warf sie den Kopf zurück und schloß die Augen.

»Was für ein Schatz?« wiederholte er drohend.

»Ich – ich weiß nicht«, flüsterte sie verängstigt. »Nur was ich gehört habe.«

»Was hast du gehört?«

»Daß ...« Sie kämpfte bereits mit den Tränen. »Es heißt, daß du nicht den Konvoi treffen, sondern den Schatz der *Marie Galante* zurückbringen sollst.«

Das war es! Sein Geheimnis war verraten worden! Als er Irina endlich losließ, sank sie zitternd auf die Bettkante.

»Von wem hast du das gehört? Ich habe niemandem davon erzählt. Habe ich im Schlaf gesprochen?«

»Nein. Jeder weiß es doch, die ganze Küste redet davon.«

»Unmöglich!«

»Es ist wahr!« Unerschrocken hob sie ihr Gesicht, trotz seiner drohend erhobenen Hand. Padstows Auftauchen am Fenster bewahrte sie vor dem Schlag.

»Sie sagt die Wahrheit, Sir.«

Kelso ließ die Hand sinken, so verwirrt, als sei er soeben daran gehindert worden, ein Kind zu schlagen. Beschämt streichelte er ihr Gesicht.

»Kommen Sie herein, Padstow, und erzählen Sie mir was Sie wissen.«

Nun standen sie zu dritt im Halbdunkel des Zimmers, während Padstow erklärte: »Die ganze Stadt weiß davon, Sir. Sie können es in jeder Kneipe, in jedem Bordell hören. Niemand glaubt an die Geschichte mit dem Konvoi. Jeder weiß, daß es unsere wirkliche Aufgabe ist, den Schatz des Nabob zurückzubringen.«

»Wie lange wissen Sie das schon?«

»Vier, fünf Tage, Sir – vielleicht eine Woche.«

»Und Sie haben nicht daran gedacht, es mir zu melden?«

»Ich habe häufig daran gedacht, Sir. Es hat mich stets bedrückt. Aber – verzeihen Sie, Sir – ich mußte annehmen, daß auch Sie davon gehört hätten.«

Kelso stand da und dachte an die Stunden in der heißen Sonne, die er auf der *Paragon* zugebracht hatte, an das Tauziehen mit den Hafenbehörden, mit den Dockarbeitern – er war zu beschäftigt gewesen, um etwas zu hören.

»Was ist mit unserer Besatzung? Weiß sie es?«

»Ja, Sir.«

»Und die Offiziere? Mr. Fenton?« Als er die Frage ausgesprochen hatte, wußte er bereits die Antwort. Fentons gestriges Schweigen war ihm jetzt klar.

»Wenn so viele Leute davon wußten«, sagte Kelso, »dann ist wohl auch der Grund des Einbruchs erklärt.« Mit einer verächtlichen Bewegung schlug er sich aufs Knie. »Großer Gott, denken diese Narren denn, daß ich so töricht wäre, eine Karte mit mir herumzuschleppen? Die Position des Schatzes – wenn es ihn überhaupt gibt – ist hier, in meinem Kopf.«

»Dann ist nichts verloren, Sir.«

»Nichts, nur der Vorteil der Geheimhaltung. Wenn das, was ihr sagt, stimmt, dann wissen sie es auch in Gheria. Ich möchte wetten, daß draußen schon ihre Gallivaten kreuzen und auf das Erscheinen der *Paragon* warten!«

Unmöglich, den angerichteten Schaden zu übersehen, dachte er, besonders, da Eile nötig ist. Die Verfolger abzuschütteln, würde Umwege von Hunderten, ja von Tausenden von Seemeilen erfordern, und das ausgerechnet jetzt, während die Besitzungen der Gesellschaft in Gefahr waren. Es galt zu überlegen, ob dieses Extrarisiko tragbar war. An ein Auslaufen mit dem Morgenhochwasser war nicht mehr zu denken.

»Gehen Sie hinunter zum Hafen«, sagte er zu Padstow. »Melden Sie Mr. Fenton, daß eine Änderung des Planes erfolgt. Ich gehe zum Kommodore und werde nachkommen, sobald ich kann.«

»Aye, aye, Sir.« Padstows Ton und das Hängenlassen der Schultern zeugten von seiner Enttäuschung. »Bedeutet das, Sir, daß wir nicht auslaufen?«

»Das bedeutet, daß all unsere Pläne in Gefahr sind, weil irgend jemand seine Zunge nicht im Zaum halten konnte.« Ärgerlich überlegte sich Kelso die weiteren Konsequenzen und fügte hinzu: »Nehmen Sie lieber einen ordentlichen Knüppel mit – für alle Fälle.«

Erst danach fiel sein Blick auf Irina, die ihn von der Bettkante aus beobachtete. Sie war so jung und liebte ihn so sehr, daß er ein Gefühl der Reue nicht unterdrücken konnte. Er trat zu ihr und legte ihr tröstend die Hand auf den Kopf. »Es ist nicht deine Schuld«, sagte er.

Als Antwort umklammerte sie ihn mit beiden Armen und preßte das Gesicht gegen sein Bein.

»Ich möchte nur wissen, wie das möglich war. Kannst du dich erinnern, wann du zum erstenmal von dem Schatz gehört hast?«

»Mein Vater sprach davon.«

»Wo hat er's gehört?«

»Ich weiß nicht. Auf dem Markt wohl.«

»Geh' und frag' ihn.«

Es herrschte noch immer Dämmerung, als er zum Haus des Kommodore in der Maidan kam. Trotz der frühen Stunde war James schon auf und empfing ihn auf der Veranda.

»Kelso! Der Teufel soll mich holen! Sie sind doch wohl nicht hier, um sich zu verabschieden?«

»Nein, Sir.«

»Ich komme zur Pier. Es ist ja noch eine volle Stunde bis zu Ihrem Auslaufen.«

»Mehr als das, Sir.«

»Wie?« Der Kommodore faßte ihn näher ins Auge, entdeckte den angespannten, ärgerlichen Gesichtsausdruck Kelsos und geleitete ihn zu einem Tisch auf der Veranda. »Nehmen Sie Platz. Ich lasse Frühstück kommen.«

»Nicht für mich, Sir. Ich bin nur gekommen, um Ihnen zu melden...«

»Setzen Sie sich«, wiederholte der Kommodore. »Was Sie mir zu sagen haben, können Sie mir auch bei einem Teller Curry sagen.«

Es war noch kühl, aber über der Maidan begann bereits die Hitze zu brüten, die ersten Dunstschwaden legten sich auf den breiten Platz. Das Fort und der Gouverneurspalast ragten aus dem Dunst wie Traumschlösser. Der untere Teil war verschwommen, aber die Zinnen, die oberen Fensterreihen und die über den Dächern wehenden Flaggen hoben sich klar vom Morgenhimmel ab. Auf der Maidan, zwischen den Büschen und auf dem struppigen Gras, schliefen Hunderte von Eingeborenen.

Kelso nahm zögernd einen Teller mit Curry und stellte zu seiner Überraschung fest, daß er doch hungrig war.

»Nun denn«, sagte der Kommodore, »erzählen Sie mir, was Sie bedrückt.«

»Das Geheimnis ist verraten, Sir. Jeder Eingeborene in der Stadt weiß Bescheid über den Schatz.«

»Den Teufel weiß er!« Der Kommodore hielt mit Essen inne, ein Stück Chupati* in der Hand. Sein Gesicht war sehr ernst.

»Sie wissen es seit etwa einer Woche, also seit direkt nach der Ratssitzung. Inzwischen dürfte es auch in Gheria bekannt sein.«

»Ganz bestimmt.« Der Kommodore trommelte mit den Fingern

* flacher, ungesäuerter Brotkuchen

auf der Tischplatte. »Das ist verdammt unangenehm, und es bedeutet natürlich, daß Tulagee Angrias Gallivaten bereits draußen auf Sie warten, und mit ihnen bestimmt jeder Halsabschneider der gesamten Malabarküste!«

»Außer wenn ich sie aussegeln kann. Bei gutem Start und günstigem Wind läßt die *Paragon* diese Halunken stehen.«

Der Kommodore nickte. »Bei gutem Start. Aber sie sind jetzt schon draußen und warten auf Sie, in diesem Augenblick! Und was den Wind betrifft – Sie müssen zunächst eine Woche oder noch länger gegen den Monsun ankreuzen. Die *Paragon* ist ein feines Schiff, Kelso, das schnellste in der Marine, aber Sie können Angrias wendige Gallivaten damit nicht aussegeln.«

Kelso aß geistesabwesend sein Frühstück und nippte an einem Glas Sorbettwasser. Mit dem Höherkommen der Sonne stieg auch sein Selbstvertrauen wieder, und er sagte lächelnd: »Nicht unbedingt, Sir. Wenn ich Ihnen meinen Plan erläutern darf ...«

Der Frühdunst war dichter geworden, als Kelso die Veranda verließ, um sich seinen Weg über die jetzt in dichtem Nebel liegende Maidan zu suchen. Die Hand behielt er am Schwertgriff, mehr als Abschreckung für irgendwelche Angreifer als zur Verteidigung. Wenn die halbverhungerten Eingeborenen auf die Idee kommen sollten, ihn anzugreifen, würden sie ihn durch ihre ungeheure Überzahl schließlich doch überwältigen. Es konnte lange dauern, bis man ihn bei diesem Nebel fand.

»Sehen Sie sich vor!« sagte der Kommodore zum Abschied. »Sie sollten lieber eine Stunde warten, bis es aufklart.«

»Ich bin in Eile, Sir. Es gibt viel zu tun.«

»Sie sind immer in Eile«, brummte der Kommodore. »Ich werde Bouchier bitten, eine Ratssitzung für zehn Uhr anzuberaumen!«

Kelso kam noch einmal zurück und legte seine Hände auf die Brüstung. »Nur fünf Leute wußten etwas von dem Schatz, Sir – mit mir waren es sechs. Ich habe nur zwei oder drei Stunden Zeit, um herauszufinden, wer uns verraten hat.«

6

Um zehn Uhr morgens stand die Sonne schon hoch am Himmel. Dunst, Tau und die Frische des Rasens waren verschwunden. Auf der Straße trotteten Ochsen und die Pferde des Leutnants

Naismith von den 39. Füsilieren lustlos durch den knöcheltiefen Staub. Als Kelso durch die Stadt schritt – eine Sänfte lehnte er stets ab – empfand er den Gestank aus den Abflußgräben weitaus stärker als den Blumenduft am frühen Morgen. Er ging rasch und kümmerte sich nicht um diese Unannehmlichkeiten, bemerkte sie kaum. Auch die Grüße Vorübergehender sowie das »Präsentiert das Gewehr!« des Unteroffiziers der Wache quittierte er nur geistesabwesend. Er war tief in Gedanken versunken.

Als er die Räume der *Honourable East India Company* betrat, wurde er von einem Bediensteten begrüßt, der ihn sofort zum Sitzungsraum des Rates geleitete.

»Sie kommen zu spät!« Es war Raikes, gelblich im Gesicht, und noch unangenehmer als bisher, der ihn angriff.

»Ich bitte um Entschuldigung, meine Herren.« Nach einer kurzen Verbeugung in Richtung des Gouverneurs ging Kelso direkt zu seinem Platz am unteren Ende der Tafel.

»Zehn Uhr –«, fuhr Raikes fort und zog seine Uhr, wurde jedoch durch eine Geste des Gouverneurs zum Schweigen aufgefordert. Ein Bediensteter schenkte Wein ein.

»Ich habe gehört, daß Sie Ihr Auslaufen verschieben mußten«, sagte der Gouverneur, sobald der Diener den Raum verlassen hatte.

»Vorübergehend, Sir, hoffe ich. Gewisse Informationen, die ich heute morgen erhielt und die ich Ihnen erläutern werde, haben mich dazu gezwungen.«

»Sie haben herausgefunden, daß Ihre Suche nach dem Schatz des Nabob kein Geheimnis mehr ist?«

»Ja, Sir.«

Der Gouverneur kostete geistesabwesend seinen Wein. »Das ist sehr unschön«, gab er zu. »Es war richtig von Ihnen, uns Meldung zu erstatten, Kelso. Ich habe selbst Nachforschungen angestellt, es besteht kein Zweifel daran, daß Sie recht haben. Ich weiß nicht, was ich davon halten soll!«

»Unsere Aufgabe wird dadurch sehr schwer, Sir, aber nicht unmöglich. Ich denke, wir sollten sie ausführen.«

»Und versenkt werden, bevor Sie außer Sicht kommen?« höhnte Raikes. »Sie sind sich wohl klar darüber, daß draußen die halbe Flotte Angrias auf Sie wartet, und – äh – jeder Pirat und Freibeuter der gesamten Malabarküste?«

Kelso wandte sich ihm seelenruhig zu. »Die werden mich kaum angreifen, Sir, bevor ich sie zum Schatz geführt habe.«

»Wenn sie nicht dessen Position schon wissen.«

»In diesem Falle, Sir, sähe ich keinerlei Grund warum sie noch länger hier warten sollten.«

Geschlagen durch diese einfache Logik, lehnte sich Raikes im Sessel zurück, die Hände über dem Magen wie ein Mesch mit Verdauungsbeschwerden.

»Die Frage ist«, äußerte der Gouverneur, »wieviel Verzögerung wird uns dieses Durchsickern des Geheimnisses kosten? Und noch wichtiger ist wohl, ob es Ihre Aussicht auf Erfolg zunichte macht.«

Kelso sah den Kommodore an. Als er aber von diesem keine Hilfestellung erhielt, antwortete er: »Im schlimmsten Fall, Sir, bedeutet es einen Aufschub durch die Umwege, die ich machen müßte, um meine Verfolger abzuschütteln.«

»Aufschub können wir uns nicht leisten«, fuhr Raikes dazwischen. »Jetzt, da Bombay und all unsere hiesigen Besitzungen in Gefahr sind.«

»Wenn ich sie aber andererseits ausmanövrieren könnte, Sir ...«

»Wie sollen Sie das den anfangen?« höhnte Raikes.

Kelso blickte ihn kalt an. »Wie, das muß mein Geheimnis bleiben, Sir. Wir haben schließlich schon einmal festgestellt, daß geheime Dinge, die an diesem Tisch besprochen werden, nicht geheim blieben.«

»Sie werden unverschämt!« Raikes war außer sich vor Zorn. Allzu viele Jahre hier in diesem Klima, zu viele überreichlich gewürzte Gerichte und zu viele Drinks hatten einen kranken Mann aus ihm gemacht. »Wenn Geheimsachen verraten wurden, können Sie sicher sein, daß dies nicht durch ein Ratsmitglied erfolgte. Sie selbst, Sir, Kapitän erst seit zwei Jahren, stehen eher unter Verdacht!«

Es herrschte absolute Stille, als erwarte jeder von ihnen, daß Kelso etwas unternehmen werde. Seine vollkommene Ruhe überraschte sie.

»Was soll ich tun, Sir?« wandte sich Kelso an den Gouverneur, ohne Raikes zu beachten oder einer Antwort zu würdigen. »Soll ich heute beim Abendhochwasser auslaufen oder bleiben, bis die Franzosen aufkreuzen?«

Der Gouverneur war sichtlich unentschlossen, kein Wunder bei allem, was auf dem Spiele stand. Es war noch immer totenstill im Sitzungsraum. Draußen auf dem Paradeplatz wurde ein Delinquent ausgepeitscht. Die schweren Schläge, scharf und drohend wie Gewehrschüsse, ertönten alle fünf Sekunden, sodaß sie jedes Mal nervös auf den nächsten Schlag warteten. Kein einziger Schrei des Geschlagenen war zu vernehmen.

»Es hängt nicht allein von meiner Entscheidung ab«, sagte der Gouverneur schließlich. »Wir brauchen einen Mehrheitsbeschluß.« Er blickte zunächst Kelso am unteren Ende des Tisches an. »Was möchten Sie tun?«

»Ich möchte heute abend auslaufen, Sir.«

»Aber warum denn, in Dreiteufelsnamen?« schrie Raikes. »Sind Sie wahnsinnig?«

»Ich habe das Gefühl, daß sich die Situation durch Warten bestimmt nicht bessert. Je eher ich auslaufe, desto eher kehrt die *Paragon* zurück.«

»Wenn sie zurückkommt«, fügte Raikes hinzu. »Mit diesem jungen Grünschnabel als Kommandant bezweifle ich, daß wir je wieder von ihr hören.«

»Außerdem, Sir«, fuhr Kelso, nur an den Gouverneur gewandt und ohne Raikes' Einwürfe zu beachten, fort, »denke ich an Kapitän Balfour. Wie lange kann er noch aushalten? Es ist unsere Pflicht, ihn zu retten.«

»Laßt ihn doch selbst sehen, wie er klarkommt, wir müssen es ja auch«, warf Raikes giftig ein.

»Wenn Kapitän Balfour stirbt«, führte Kelso aus, »werden wir den Schatz vielleicht nie mehr finden.«

Der Gouverneur schlug mit der Faust auf den Tisch. »Das stimmt, bei Gott!« Er schob sein leeres Glas beiseite und wandte sich an den Kommodore. »Was ist Ihre Meinung, James?«

»Ich würde zur Vorsicht raten, Sir. Es sei ferne von mir, den Schwung und Eifer des jungen Kelso zu dämpfen, aber diesmal muß ich Raikes beipflichten. Behalten Sie die *Paragon* hier, und lassen Sie uns abwarten, wie sich die Lage entwickelt. Möglicherweise sind die Frogs schon in diesen Gewässern. Eine Woche etwa kann nicht viel Unterschied ausmachen.«

Der Gouverneur nickte. »Turner?«

»Ich pflichte James bei.«

»Emmerson?«

Der dicke, gutmütige Emmerson war unentschlossen. Er bewunderte Kelso, wahrscheinlich weil dieser all die positiven Eigenschaften besaß, die ihm selbst fehlten. Außerdem konnte er Raikes nicht leiden. Andererseits lag das Gewicht der größeren Erfahrung auf

Seiten des Schotten. »Ich weiß nicht recht, Sir. Kelsos Plan hat den Vorteil der Kühnheit. Wenn aber der Hafenkommandant und der Kommodore Zweifel hegen...«

»Sie raten also zur Vorsicht«, entschied der Gouverneur an seiner statt, »und ich auch. Tut mir leid, Kelso, Sie müssen warten.«

Kelsos Gesicht zeigte keinerlei Gemütsbewegung, als er jetzt aufstand. »Ich bedaure das, Sir. Können Sie mir sagen, wie lange das Unternehmen verschoben werden soll?«

»Bis uns weitere Nachrichten über die Franzosen vorliegen.«

»Das kann Wochen, ja Monate dauern, Sir.«

Der Gouverneur spreizte die Finger. »Es tut mir leid.«

Kelso blickte Kommodore James an. Als er jedoch dessen starres, ausdrucksloses Gesicht sah, verbeugte er sich und schritt zur Tür.

»Augenblick, Kelso!« Es war Raikes, der das rief, sein Gesicht noch immer wutverzerrt. »Bevor dieser tapfere Kapitän uns verläßt, Sir, ist noch ein anderer Punkt zu klären!«

»Welcher?«

»Wer hat unsere Pläne verraten?«

Kelso blieb stehen, den Hut in der Hand. Der Gouverneur war sichtlich verwirrt. »Zeitverschwendung«, sagte er. »Zumal wir noch so viele andere Dinge zu besprechen haben.« Er winkte ab. »Außerdem werden wir wahrscheinlich niemals die Wahrheit erfahren. Es könnte jeder gewesen sein.«

»Nein, nicht jeder, Sir. Nur wir fünf hier am Tisch – und Kelso.«

Ohne ein Zeichen des Gouverneurs abzuwarten, nahm Kelso seinen Platz wieder ein. »Vielleicht weiß Mr. Raikes Näheres, Sir. Bis wir den Schuldigen kennen, sind wir alle schuldig!«

»Das stimmt, aber ...« Der Gouverneur fühlte sich offensichtlich unbehaglich. »Muß zugeben, die Sache gefällt mir nicht, Raikes. Es gibt nichts, was wir tun könnten.«

»Im Gegenteil, Sir. Der Betreffende muß bestraft werden.«

»Und Sie müssen ihn in Ihrem Bericht erwähnen.«

»In welchem Bericht?«

»An das Direktorium, Sir. Sie müssen doch über den Verlust einer Viertelmillion Pfund nach London berichten.«

»Noch ist nichts verloren«, gab der Gouverneur zurück, »außerdem brauchen Sie mir nicht zu sagen, was ich zu tun habe.«

Nicht im geringsten aus der Fassung gebracht, lehnte Raikes sich im Sessel zurück, die knochigen Hände gefaltet, deutliches Mißfallen im hageren Gesicht. Ein eingeborener Diener kam mit einer

Karaffe Wein herein, floh aber sofort vor des Gouverneurs zorniger Abwehrbewegung.

»Wir vergeuden unsere Zeit«, wiederholte er, »aber wenn Sie das unbedingt wollen . . .«

»Es ist unsere Pflicht, Sir«, mahnte Raikes.

Ohne seine Gereiztheit und seinen Ärger zu verbergen, sagte der Gouverneur: »Nun denn! Aus dem, was Kelso gemeldet hat und aus unseren eigenen Feststellungen geht eindeutig hervor, daß unsere Pläne, den Schatz der *Marie Galante* zu bergen, kein Geheimnis mehr sind. Irgend jemand muß darüber gesprochen haben.«

»Nicht unbedingt«, warf der Kommodore ein. »Die *Paragon* lief mit dem Rettungsboot der *Marie Galante* im Schlepp ein. Könnten die Leute nicht bereits daraus ihre Schlüsse gezogen haben?«

»Sie haben recht!« rief der Gouverneur aus. »Vielleicht ist das die Erklärung.« Er sah erleichtert aus, aber sein Lächeln verschwand, als Raikes sich räusperte und dann ausführte: »Wie konnten sie zu dem Schluß kommen, daß die *Marie Galante* einen Schatz an Bord hatte? Niemand außer den Ratsmitgliedern wußte etwas davon. Aus Kapitän Balfours Bericht geht eindeutig hervor, daß er das Geheimnis gewahrt hat.« Raikes machte eine bedeutsame Pause und fuhr dann fort: »Ich wiederhole – es war nur den Ratsmitgliedern bekannt.«

»Und Balfour«, griff Kommodore James den Faden auf. »Genau wie unsere kürzlichen Pläne außer uns nur noch Kelso bekannt waren. Wenn Sie Kelso beschuldigen – und darauf läuft Ihre Intrige doch hinaus –, sprechen Sie es klar aus und bringen Beweise dafür.«

Diese direkte Herausforderung überraschte alle und war ganz und gar nicht nach Raikes' Geschmack. Er wurde rot, befeuchtete seine Lippen und wich dem Blick des Kommodore aus.

»Beschuldige niemanden«, murmelte er. »Denke nur, es ist seltsam.«

»Seltsam? Wenn jemand Grund hat, auf Geheimhaltung zu dringen, ist es Kelso«, fuhr der Kommodore beharrlich fort. »Wir sitzen bequem und sicher in Bombay, während er ausläuft, um eine Viertelmillion Pfund zu bergen. Ist es da wahrscheinlich, daß er selbst plaudert?«

»Das stimmt«, pflichtete der Gouverneur bei.

»Weiter: Wer war es, der das Durchsickern des Geheimnisses entdeckte und sofort meldete? Kelso.« Voller Verachtung blickte der Kommodore über den Tisch. »Ist das die Handlungsweise eines Schuldigen?«

Im Raum herrschte bereits Gluthitze. Der arme Emmerson wischte sich ständig den Schweiß ab, der ihm über das feiste Gesicht lief, während Turner trotz der erregten Unterhaltung vor sich hindöste. Moskitos, die es auf irgendeine Weise geschafft hatten, durch die Gaze zu gelangen, schwirrten emsig in der feuchten Luft hin und her.

Raikes knurrte wütend: »Verteidigen Sie ihn nur, Ihren kostbaren Kelso! Das hätte ich mir von vornherein denken können. Aber was Sie auch sagen, es ist seltsam, daß ein nur den Ratsmitgliedern und Kapitän Balfour bekanntes Geheimnis gewahrt und ein anderes, nur dem Rat und diesem – äh – Kelso bekanntes verraten wurde. Im Gegensatz zu Ihnen ziehe ich daraus meine Schlüsse.«

Der Gouverneur blickte schweigend über ihre Köpfe hinweg nach der bewegungslos herabhängenden Flagge draußen. Es war ihm selbst und auch den anderen Anwesenden klar, daß es für ihn Zeit wurde, einzugreifen. Das Protokoll der Ratssitzung würde aktenkundig gemacht werden. Irgendwann einmal, möglicherweise lange nach seiner Pensionierung, würde man ihn zur Rechenschaft ziehen für das, was er getan oder nicht getan hatte. Ohne Raikes' aggressives Verhalten hätte er sich niemals auf diese fruchtlose Diskussion eingelassen. Er griff zur Karaffe, um sein Glas zu füllen, und rief wütend nach dem Diener, als er feststellte, daß sie leer war.

»Kelso«, sagte er, »ich bedaure, daß ich Sie fragen muß, aber gewisse Anschuldigungen – Andeutungen – sind hier gemacht worden. Zu Ihrer eigenen Rechtfertigung frage ich Sie also: Haben Sie zu irgendeiner Zeit, ich wiederhole: *irgendwann zu irgend jemandem*, über den wirklichen Zweck Ihrer Fahrt gesprochen?«

»Nein, Sir«, erwiderte Kelso ruhig.

»Sie sind ganz sicher?«

»Ja, Sir.«

Der Gouverneur seufzte erleichtert und hob sein Glas. »Dann ist die Angelegenheit erledigt, Gentlemen. Kelso hat uns sein Wort gegeben. Ich nehme an, daß Sie jetzt alle zufrieden sind?«

»Aye.«

»Aye.« Der Kommodore schlug zustimmend mit der flachen Hand auf den Tisch.

»Nein, ich bin es nicht!«

Sie waren bestürzt über die Heftigkeit des Schotten. Als Raikes aufstand, mußte er sich an der Tischkante festhalten, so zitterte er am ganzen Körper. »Ich weigere mich, diesen – äh – Helden zu entlasten, nur auf Grund seines eigenen Wortes. Selbstverständlich leugnet er die Schuld, aber die Gegebenheiten sind völlig klar! Lediglich die hier Anwesenden wußten von dem Schatz. Da fünf von uns über jeden Verdacht erhaben sind, muß er es gewesen sein.« Grau im Gesicht und kaum imstande, sich aufrecht zu halten, starrte er die anderen Ratsmitglieder herausfordernd an.

In der Tat waren sie so verwirrt, daß keiner von ihnen etwas sagte. Sie blickten daher erleichtert auf, als Kelso selbst das Wort ergriff.

»Wie dem Gouverneur, so liegt auch mir nichts daran, den Namen des Schuldigen zu nennen. Der Schaden, den er angerichtet hat, ist nicht mehr gutzumachen. Ich möchte nur ungern, daß sein Name bekannt wird.«

»Ein bißchen spät, daran zu denken«, murmelte Raikes.

»Ich will mich hier nicht zu unrecht beschuldigen lassen, wenn ich Ihnen zweifelsfrei beweisen kann, daß der Fehler in einer anderen Richtung zu suchen ist.«

»Sie wollen sagen, daß Sie den Schuldigen aufgespürt haben?« fragte der Kommodore.

Kelso deutete ein Lächeln an. »Ich sagte Ihnen doch heute morgen, daß ich das vorhätte, Sir.«

»Warum, zum Teufel, lassen Sie uns dann so lange warten?«

Kelso senkte den Blick auf seine Fingernägel und erwiderte ruhig: »Ich wiederhole, Sir, daß es nicht viel Zweck hat, einen Namen zu nennen. Der Schaden ist angerichtet, und der Schuldige wird sein Vergehen kaum wiederholen.«

»Das ist wahr.«

»Unsinn!« schrie Raikes. »Lassen Sie sich doch nicht durch diesen Bluff an der Nase herumführen!«

»Es ist kein Bluff, Sir«, erwiderte Kelso ihm kalt. »Ich weiß, wer unsere Pläne verraten hat.«

»Und ich sage Ihnen, er lügt!« schrie Raikes abermals.

Er merkte im selben Augenblick, daß er zu weit gegangen war. Eine derartige Beleidigung ließ kein Gentleman auf sich sitzen. Es war ihm auch klar, daß Kelso, der nicht einmal halb so alt war wie er selbst, ihn im Duell wahrscheinlich töten würde. Tief betroffen, versuchte der Gouverneur einzulenken.

»Voreilige Worte, Raikes, die Sie sicherlich nicht beabsichtigt hatten. Ich schlage vor, Sie nehmen sie sofort zurück und bitten Kelso um Entschuldigung.«

»Niemals!« Der Schotte war kein Feigling. »Wenn Kelso behauptet, er kenne den Schuldigen, und es sei ein anderer als er selbst, dann lügt er!«

Die Hitze war so intensiv, daß die Punkahs mit ihrem eintönigen Geräusch die Luft kaum in Bewegung zu setzen schien. Ameisen, vom verschütteten Wein aus Emmersons Glas angezogen, marschierten in geschlossener Formation über den Tisch. Draußen in der glühenden Sonne rief ein Posten. Im Sitzungssaal warteten die Ratsmitglieder bewegungslos auf das, was kommen mußte.

»Ich bedaure, daß Sie mir nicht glauben, Sir, denn das bedeutet, daß ich Sie widerlegen muß«, sagte Kelso schließlich. »Ich wiederhole aber, daß ich es nicht gern tue. Sie zwingen mich jedoch dazu.« Er blickte die versammelten Ratsmitglieder der Reihe nach an. »Sie alle setzen voraus, daß unsere Pläne von einem der hier Anwesenden verraten wurden. Aber das trifft nicht unbedingt zu.«

»Was meinen Sie damit?« fragte Raikes aggressiv. »Wer soll es denn sonst gewesen sein?«

Kelso stand auf. »Ich werde es Ihnen zeigen.«

Ruhig schritt er durch den Raum und zog einen Vorhang zurück, der eine halboffene Tür verbarg. Dahinter saß der Punkah-Wallah* mit dem Zugseil in der Hand.

»Können Sie mich hören, Gentlemen?« fragte Kelso. »Wenn Sie es können, dann wissen Sie, daß zumindest ein Paar Ohren unsere jeweilige Unterhaltung belauscht hat.« Er schloß die Tür und zog den Vorhang zu, bevor er zu seinem Platz zurückkehrte.

»Der Punkah-Wallah«, rief Emmerson aus. »Also das ist die Antwort.«

»Nicht unbedingt«, sagte Kelso. »Ich wollte Ihnen nur beweisen, daß wir hier im Raum nicht die einzigen Verdächtigen sind.«

»Ramachad ist seit Jahren mein Punkah-Wallah«, griff der Gouverneur ein. »Er wurde ausgewählt, weil er kein Wort Englisch versteht und außerdem beinahe stocktaub ist.

Raikes, der sonst so gut wie nie lachte, ließ ein trockenes, rauhes Gekrächze hören. »Nun, junger Herr, was sagen Sie dazu?«

»Ganz einfach, Sir. Ich wollte Ihnen nur zeigen, wie es sich hätte ereignen können, und wie es sich in der Tat auch abgespielt hat.«

»Aber der Gouverneur sagt doch . . .«

* Der Mann, der die Punkah durch Ziehen am Seil in Bewegung hält

»Als ich in Erfahrung gebracht hatte, daß das Geheimnis verraten war, beschloß ich herauszubringen – möglichst noch vor dieser Sitzung –, wie es sich ereignet hatte. Ich suchte den Kommodore auf und informierte ihn über meine Absicht. Vorher hatte ich jedoch schon in meinem Haus mit Verhören begonnen. Ich erfuhr von dem Verrat durch eine meiner Bediensteten, die Tochter meines Khitmugar. Ich ließ sofort ihren Vater wecken und fragte ihn, woher er diese Information hatte. Nach langem Beteuern seiner Unschuld fiel ihm plötzlich ein, von wem er es gehört hatte.« Kelso machte eine Pause und blickte auf. »Er hatte es von einem Punkah-Wallah gehört.«

»Zum Teufel!« rief der Gouverneur. »Es war doch nicht etwa Ramachad?«

»Nein, Sir. Es war nicht Ramachad. Sobald ich den Kommodore verlassen hatte, ging ich zu dem Haus, in dem ich diesen Punkah-Wallah finden konnte. Durch Androhung der gräßlichsten Strafen erfuhr ich, wie es sich abgespielt hatte. Er gestand, ein Gespräch zwischen seinem Herrn, einem gewissen Mitglied dieses Rates, und einem Leutnant des 39. Infanterieregiments belauscht zu haben.«

Kelso machte erneut eine Pause, aber niemandem schien daran gelegen, Fragen zu stellen. »Alles, was ich jetzt noch zu tun hatte, war, den Leutnant zu befragen. Ich hatte Glück und traf ihn, als er gerade die Maidan entlangritt.«

Ein langes Schweigen entstand.

»Und er bestätigte es?« fragte der Gouverneur.

»Ja, Sir.« Er erinnerte sich genau an das Gespräch, schwor jedoch, er habe diese Information an niemanden weitergegeben. Der Name des Leutnants ist Naismith«, fügte Kelso hinzu.

Die Punkah über ihren Köpfen schlug so ruhig wie ein Herz. Sie lauschten alle diesem Geräusch, wenn auch vielleicht unbewußt. Die Ameisen hatten den Wein erreicht und umringten den Fleck. Turner atmete tief, sein Kopf lag beinahe auf der Brust, aber er war wach.

Schließlich stand Raikes auf. Sein Gesicht war ungesund. Mit gesenktem Blick und unsicher bebenden Lippen murmelte er: »Kelso, ich glaube, ich muß mich bei Ihnen entschuldigen.«

7

Die Sonne stand bereits im Zenith, als Kelso endlich an Bord der *Paragon* erschien. Die Besatzung, die seit dem frühen Morgen an Deck gewartet hatte, schmorte in der Mittagshitze. Die Männer saßen oder lagen, wo sich ein bißchen Schatten bot, am Fock- und Großmast, neben der Segelkoje oder neben den Luken ausgestreckt. Sie drängelten sich hinter der Back und fluchten greulich, als die Schatten kürzer wurden und die gnadenlose Sonne ihr Versteck erreichte. Ein paar, die an Deck keinen Schatten gefunden hatten, waren nach unten gegangen, aber die Hitze dort war noch schlimmer und trieb sie bald wieder nach oben. Da es niemandem gestattet war, das kostbare Trinkwasser anzurühren, taumelten sie hin und wieder über das Kopfsteinpflaster zu einem unappetitlichen Brunnen auf der anderen Seite des Kais.

Fenton, der auch erschöpft aussah, meldete: »Alles seeklar, Sir! Ich fürchte jedoch, das Hochwasser haben wir verpaßt.«

»Der Plan ist geändert worden.« Kelso rief den Bootsmann, der hinter einer Trossenrolle auftauchte. »Mr. Larkins, lassen Sie die Leute nach achtern kommen!«

»Aye, aye, Sir.«

Gefolgt von Fenton, stieg Kelso die Treppe zum Achterdeck hinauf. Von dort aus sah er zu, wie die Seeleute sich widerstrebend erhoben und über das Deck schlurften, das für ihre nackten Füße fast zu heiß war. Schließlich waren sie vor dem Achterdeck versammelt. Hinter ihnen waren die Offiziere, Fähnriche und Kadetten in zwei Gliedern angetreten. Heslop, der Quartermaster, stand am Ruder.

»Der Plan ist geändert worden«, verkündete Kelso, als alles versammelt war. »Wir laufen heute nicht aus.« Er machte eine Pause und ließ ihnen Zeit, ihrem Unmut Luft zu machen. »Ich kann auch noch nicht sagen, wann wir segeln.« Seine Stimme war laut genug, um auch am Kai verstanden zu werden. Eingeborene lungerten dort herum, Dockarbeiter, Tagediebe und anderes Gesindel. Ein gelber Hund, dünn wie ein Skelett, trottete über das Pflaster und hob das Bein an einem Poller. »Wahrscheinlich müssen wir noch ein bis zwei Wochen bleiben.«

Er trat weiter nach vorn, an die Querreling. »Das bedeutet, daß wir einen Teil der guten Arbeit, die wir während der letzten Tage geleistet haben, wieder rückgängig machen müssen.« Erneutes Stöhnen der Leute. »Wasser und Frischproviant muß wieder gelöscht, das Pulver zum Arsenal zurückgeschafft werden.«

»Jetzt, in dieser Hitze?« Der Ausruf war so unerwartet, daß der Delinquent sofort durch die sich umwendenden Köpfe der vor ihm Stehenden zu identifizieren war. Die Reihen teilten sich, als wolle niemand mit dem Rufer in Zusammenhang gebracht werden, der nun allein auf dem Deck stand, die Arme in die Seite gestemmt und im grellen Sonnenlicht blinzelnd.

»Wie heißen Sie?« fragte Kelso.

»Bostick – Sir.« Es war ein riesiger Mann, nahezu zwei Meter groß, breitschultrig, mit dichtem blondem Haar auf Brust und Armen und einem so hellen Bart, daß er in der Sonne fast weiß wirkte.

»Ich habe Sie noch nie gesehen. Wie lange gehören Sie zu meiner Besatzung?«

»Zwei Tage, Sir. Ich habe gestern angemustert.«

»Wo kommen Sie her?«

»War zwei Jahre auf der *Blenheim*, davor auf der *Runnymede.*«

Sein Ton klang reichlich unverschämt, wie auch seine ganze Haltung arrogant wirkte. Gereizt rief Kelso: »Sir! Nennen Sie mich gefälligst *Sir*!«

Der Neue nickte lässig und fügte wie beiläufig hinzu: »Aye, Aye – Sir.«

Kelso dachte an die langen Stunden, die seine Leute in der heißen Sonne zugebracht hatten, schluckte seine Gereiztheit herunter und sagte zum Rest der Besatzung: »Es ist jetzt zu heiß zum Arbeiten. Macht Pause, aber ich möchte, daß ihr eine Stunde vor Sonnenuntergang wieder hier seid. Ich lasse dann eine Musterung eurer Ausrüstung vornehmen.«

Außer der Deckswache zogen sie alle ab an Land. Sie stapften über den Kai, ber die staubige Straße und in die nächsten Kneipen oder ins Bordell.

»Haben Sie eine Ahnung, wann wir nun wirklich auslaufen werden, Sir?« fragte Fenton, als er seinen Kommandanten zur Relingspforte begleitete.

Kelso zögerte. Er kannte Fenton seit langem. Es gab niemanden, dem er mehr vertraute. Aber er hob die Schultern und sagte: »Wer weiß? Wir werden hier für die Verteidigung Bombays benötigt.«

»Gegen die Frogs?«

»Ja, sie kommen. Wir brauchen dann jedes Kriegsschiff, das wir auftreiben können.«

Fenton erwiderte nichts. Als sie zwischen den Pollern, Fässern und Taurollen auf dem Kai hindurchgingen, sagte Kelso: »Ich nehme an, daß Sie von unserer wirklichen Mission gehört haben?«

Fenton blieb stehen und schien zu zögern. »Ich habe etwas gehört, Sir, ein Gerücht – etwas von einem Schatz.«

»Die *Marie Galante* hatte einen Schatz aus Edelsteinen an Bord. Unsere Aufgabe sollte es sein, ihn zurückzuholen.«

»Ähnliches habe ich gehört.«

»Und was noch?«

»Nichts Bestimmtes, Sir, es schienen mir alles nur Vermutungen zu sein. Die *Marie Galante*, so hörte ich, hatte einen Schatz an Bord, ein Geschenk des Nabob der Carnatic. Es wurde natürlich bekannt, daß die *Marie Galante* gestrandet ist.«

»Wissen Sie, wo?«

»Nein, Sir. Aber da der Schatz geborgen wurde, muß es in der Nähe von Land gewesen sein, möglicherweise bei den Komoren.«

Kelso brummte etwas Unverständliches, hob grüßend die Hand und wandte sich der Hafenkommandantur zu. So lange sie nur Vermutungen anstellten, war der Schatz in Sicherheit.

Turner war nicht in seinem Dienstgebäude, aber das war er niemals während der größten Hitze des Tages. Die beiden Sekretäre waren noch halbe Kinder, die offensichtlich unter Heimweh litten. Sie wußten nichts und überließen das Beantworten seiner Fragen dem Angestellten, einem feisten Parsen mit dem Gesicht eines Ferkels.

»Ja, Sahib, wir haben die Führungszeugnisse jedes Seemannes der Marine. Ja, Sahib, ich werde die Unterlagen des Matrosen Bostick finden.«

Es dauerte dann fast eine Stunde und verursachte ein ständig wachsendes Chaos von Aktenordnern auf dem Fußboden, bis die Papiere endlich gefunden waren. Kelso öffnete den Ordner, trat zum Fenster und las:

›Jakob Bostick, geboren in London/Whitechapel am 5. Januar 1725. Nächste Verwandte: Mary Bostick (Mutter), wohnhaft: The Saracen's Head, Puddle Lane, Rotherhithe.

Fahrzeit: Sechs Jahre auf Ostindienfahrer *Runnymede* (Kapitäne Marlowe und Tennet), danach zwei Jahre auf Ostindienfahrer *Blenheim* (Kapitän Lapsley).‹

»Ist das alles?« fragte er.

»Ja, Sahib.«

»Aber da steht ja nichts über Gefechte, an denen er teilgenommen hat, nichts über seine Führung, keine Bemerkungen des Kapitäns!«

»Sahib.« Der Parse machte mit den Händen eine Geste der Beruhigung. »Dieser Bostick, ich erinnere mich – ein Riesenkerl mit einem Bart, einem fast weißen Bart.«

»Ja, das ist er.«

»Sahib, er kam hierher, als der Commander Sahib nicht da war. Er wollte ein Schiff, die *Paragon.* Er sagte, sie sei ein feines Schiff, und Sie, Sahib, seien ein guter Kommandant. Da Sie Leute suchten, und dieser Mann . . .«

»Sie meinen, er wollte auf der *Paragon* anmustern – nur auf der *Paragon*?«

»Ja, Sahib.«

»Und Sie nahmen ihn ohne Referenzen?«

»Sahib, er wollte unbedingt zu Ihnen. Er ist ein guter Seemann, so wie Sie einen brauchen.«

»Sie sind leichter zufriedengestellt als ich«, entgegnete Kelso. »Warum konnten Sie keine Referenzen bekommen?«

Der Parse riß die Augen weit auf und schien verzweifelt nach einer Geschichte zu suchen, mit der sich dieser unbequeme Kommandant zufriedengeben würde.

Er ließ die Schultern hängen. »Sahib, ich will Ihnen die Wahrheit sagen. Der Mann hat mir erzählt, daß er auf der *Blenheim* war, als Sie das vorigemal Bombay anlief.«

»Das war vor zwei – nein, vor drei Monaten.«

»Ja. In einer Nacht war er mit schlechten Männern zusammen, die ihn zu einem Haus außerhalb der Stadt bringen wollten, in dem die Mädchen alle jung und hübsch sind, keine älter als dreizehn, und . . .«

»Dort wurde er betäubt«, unterbrach Kelso den Redefluß, »oder zusammengeschlagen und ausgeraubt. Als er wieder zu sich kam, lag er irgendwo auf der Straße, und sein Schiff war längst ausgelaufen.«

»Ja, Sahib.« Der Parse machte ein erstauntes Gesicht. »Sie haben die Geschichte gehört?«

»Oft«, sagte Kelso, »aber nicht von ihm.«

Bei Eintritt der Dämmerung kam die Besatzung der *Paragon* an Bord zurück. Das ist die magische Stunde, an die sich alle, die einmal in Bombay gelebt haben, noch lange erinnern, lange nachdem sie Fliegen, Moskitos und den Gestank der Abzugsgräben vergessen haben. Nach der unangenehmen Helligkeit des Tages, wirkte das Licht sanft, und eine leichte Brise wehte von See her. Eine Flöte ertönte aus dem Eingeborenenviertel, und eine schöne Frauenstimme war zu hören. Der zarte, bezaubernde Duft blühender Mimosen lag in der Luft.

Als die Leute auf dem Kai ankamen, sahen sie ihren Kommandanten mit Leutnant Fenton auf dem Achterdeck stehen und einen weiteren Offizier, den sie als Kommodore James erkannten. War das eine Inspektion? Mit Extraarbeiten oder gar Auspeitschen, wenn einer seine Ausrüstung verloren hatte? Die meisten allerdings waren so voll Wein oder Bier, daß es ihnen im Augenblick gleichgültig war.

Sie lachten und riefen, als ein Eingeborenenmädchen, schlank und elegant in seinem Sari, zwischen ihnen hindurchschlüpfte. Sie war sehr jung und ging mit züchtig gesenktem Blick, den sie erst hob, als ein riesiger Seemann mit blondem Bart sie um die Taille faßte.

»Warum so eilig, Süße?«

»Bitte!« Flehend blickte sie ihn an und versuchte, sich seinem Griff zu entwinden. »Lassen Sie mich los.« Ihr Bemühen verstärkte sich, bis einer der Seeleute, mitleidiger als seine Kameraden, den Riesen am Arm griff.

»Das reicht. Laß sie los.«

Der Riese wandte nicht einmal den Kopf, während er ihn beiseitewischte. Dann hob er das Mädchen hoch und versuchte, sie auf den Mund zu küssen.

»Bostick!«

Die Besatzung, die ihren Kommandanten in allen Stimmungen kannte, hatte ihn noch nie so wütend gesehen.

Das Mädchen noch immer in den Armen haltend, blickte Bostick ärgerlich zum Achterdeck hinauf.

»Lassen Sie das Mädchen los, Bostick«, sagte Kelso, nun wieder ruhig, »und kommen Sie an Bord.«

Schweigend warteten die Leute, was Bostick tun würde. Den meisten war er fremd, und die ihn von früher her kannten, fürchteten ihn. Einen Augenblick lang starrte er seinen Kommandanten wütend an, dann setzte er das Mädchen mit der Andeutung eines Schulterzuckens auf den Boden.

Auf dem Achterdeck wartete Kelso, bis Irina, denn die war es, auf der Schanztreppe erschien.

»Das ist der Mann«, sagte er dann, zum Kommodore gewandt.

»Er behauptet, er sei auf der *Blenheim* gewesen, was möglicherweise stimmt, aber ich wüßte gern mehr über ihn.«

»Er scheint sehr kräftig zu sein«, entgegnete der Kommodore, »und Sie sind doch knapp an guten Seeleuten. Gerade auf dieser Reise brauchen Sie bestimmt eine vollzählige Besatzung.« Als Kelso nicht antwortete, fügte er hinzu: »Wenn er aus der Reihe tanzt, wird Ihr Bootsmann ja wissen, was er zu tun hat.«

Kelso nickte. »Haben Sie mit dem Gouverneur gesprochen, Sir?«

»Weswegen?«

»Wegen unseres Auslaufens heute abend.«

Der Kommodore blickte ihn an und lächelte. »Sie laufen in einer Stunde aus, und zwar heimlich«, sagte er. »Den Gouverneur überlassen Sie getrost mir.«

»Danke, Sir«, entgegnete Kelso und erwiderte das Lächeln.

»Sie laufen bei Dunkelheit aus, wie Sie es gewünscht haben.« Der Kommodore hob das Gesicht der schwachen Brise entgegen. »Das einzige, was mir Sorge macht, ist die Windrichtung. Sie müssen kreuzen, sobald Sie vom Vorland frei sind. Es wäre unangenehm, wenn Sie sich bei Hellwerden bereits von Gallivaten umgeben sähen.«

»Dazu wird es nicht kommen, Sir.«

»Wieso sind Sie dessen so sicher?«

»Weil ich nicht vorhabe, nach Westen zu segeln. Sobald wir vom Land frei sind, werde ich Nordnordwest steuern, mit Backstagsbrise. Beim Morgengrauen bin ich für alle Gallivaten längst außer Sicht.«

Mit einem Gemisch aus Bewunderung und Neid betrachtete ihn der Kommodore. Erinnerte er sich an die Zeit, als er selbst jung gewesen war, und auch die größten Gefahren für ihn nicht mehr bedeuteten als ein aufregendes Abenteuer?

»Ein guter Plan«, stimmte er zu. »Ich hoffe, er gelingt. Sie werden auch auf kleine Fahrzeuge achten müssen, diese Küste wimmelt von Fischerbooten. Andererseits schadet es nichts, wenn man Sie sieht, denn aus Ihrem Kurs wird man schließen, daß Sie lediglich auf einer routinemäßigen Patrouille sind.«

Es war jetzt fast dunkel. In den Hütten im Eingeborenenviertel jenseits des Kais gingen die Lichter an, und die Turmuhr der St. Paulskirche schlug zehn.

»Ich wünsche Ihnen viel Glück und Gottes Hilfe«, sagte der Kommodore und hielt Kelso die Hand hin. »Denken Sie daran, wir beide gehen ein ziemliches Risiko ein. Wenn Sie mit dem Schatz zurückkehren, wird Ihnen bestimmt alles verziehen. Aber ob mit oder ohne Schatz, kommen Sie auf jeden Fall so schnell wie möglich nach Bombay zurück.«

8

Eine steife Brise wehte, als sie aus dem Schutz des Vorlandes in die offene See kamen. Die Seeleute, die noch vor einer Stunde resigniert einer längeren Liegezeit im stickigen Hafen entgegengesehen hatten, empfanden es fast wie ein Abenteuer, als sie jetzt Fallen und Brassen bedienten oder in die Takelage aufenterten, während die *Paragon* durch die Nacht glitt. Vorbei ging es an den dunklen Schemen vor Anker liegender Ostindienfahrer, dann passierten sie das Leuchtfeuer auf der Landspitze, ließen ein spät zurückkehrendes Fischerboot an Backbordseite. Das Schiff stampfte in der steilen See, die der Südwestmonsun aufwarf.

»Zwei Strich Steuerbord!«

Dankbar legte die *Paragon* sich über und nahm bei dem jetzt nahezu halben Wind mehr Fahrt auf. Die Deckswache entspannte sich, der Quartermaster wandte seine Aufmerksamkeit den Sternen zu.

»Mr. Larkins!« rief Kelso. »Lassen Sie den Ausguck im Bug und im Vortopp doppelt besetzen, und stellen Sie sicher, daß die Leute wach bleiben. Hier herrscht reger Schiffsverkehr. Wir wollen die Reise nicht mit einer Kollision beginnen.«

Die Lichter Bombays waren noch an Steuerbord zu sehen, aber bald verschwanden sie eins nach dem anderen, als der divergierende Kurs weiter ab vom Land führte. Schließlich pflügte die *Paragon* mit gleichmäßigen acht Knoten allein durch die dunkle, schaumgekrönte See.

Kelso genoß das Gefühl des Windes im Gesicht, den frischen Geruch des Salzwassers und die Bewegung des Decks unter den Füßen. Er fand es herrlich, wieder das Knarren und Quietschen der Stengen, das Heulen des Windes in der Takelage zu hören, die dunklen Gestalten der Deckswache am Schanzkleid zu sehen. Diese ersten Stunden einer Reise, wenn die Küste in der Ferne verschwand, Fliegen, Staub und sonstiger Schmutz des Landes über Bord wehten und bald vergessen waren, wenn Abenteuer jenseits des Horizontes warteten, waren für ihn die schönsten von allen. Sie waren Ausgleich für die vielen Tage unter einer gnadenlosen Sonne und ohne einen Windhauch, für Tage, an denen der Proviant reduziert war auf Zwieback, der von Maden wimmelte, und die Wasserfässer nichts anderes mehr hergaben als grünlichen Schleim. Genau wie Fenton, war er nur glücklich auf See.

»Prächtig, der Monsun, Sir«, bemerkte Fenton, der neben ihn getreten war.

Kelso nickte. Er hatte ein schlechtes Gewissen Fenton gegenüber, weil er ihn nicht ins Vertrauen gezogen hatte, aber andererseits mußte das überraschende Auslaufen streng geheim bleiben. Er war nun erfreut festzustellen, daß sein Erster Offizier ihm nicht grollte.

»Wir hatten Glück«, sagte Kelso. »Es ist wichtig, daß wir die Schiffahrtswege vor Anbruch der Dämmerung hinter uns gebracht haben. In einer Stunde drehen wir nochmals zwei Strich nach Steuerbord. Mit Backstagsbrise segeln wir dann gute fünfzig, sechzig Meilen frei von irgendwelchen Angria-Gallivaten, bevor es hell wird.«

»Nehmen Sie an, Sir, daß die uns auflauern?«

»Ja. Entweder Angrias Leute oder die Europäer. Neuigkeiten über einen Schatz verbreiten sich schnell. Es gibt zu viele Piraten an der Malabarküste.«

Freibeuter und Seeräuber waren in der Tat eine ständig wachsende Bedrohung. Zwar hielt ein Geleit von Marinefahrzeugen sie von einem direkten Angriff auf die Handelsschiffe der Ostindischen Kompanie ab, ihre Anwesenheit in den zahlreichen Schlupfwinkeln, die größtenteils gegen einen Frontalangriff geschützt waren, bedeutete aber trotzdem bei jedem Durchfahren der Küstengewässer eine nicht zu unterschätzende Gefahr. Die *Medway*, ein ohne Geleitschutz heimkehrender Ostindienfahrer, war voriges Jahr von einer ganzen Flotte Gallivaten überfallen, die *Dalhousie Star* sogar von ihnen versenkt worden. Eines Tages, wenn das Direktorium in London sich entschließen konnte, die Anzahl der Kriegsschiffe in diesen Gewässern zu erhöhen, würden Kommandanten wie Kelso oder Lattimer von der *Maid of Kent* imstande sein, die Piraten auch in ihren Schlupfwinkeln aufzustöbern und zu vernichten.

»Unsere Aufgabe ist es, den Schatz der *Marie Galante* zu bergen und zurückzubringen, wie ich Ihnen gestern abend sagte.« Kelso blickte sich in der Dunkelheit um, ob niemand ihn hören konnte. Auf der anderen Seite des Achterdecks sah er die Silhouetten von Archibald, dem Zweiten Offizier, und von Winston, dem Fähnrich der Wache.

»Ja, Sir.« Fentons Ton war gleichmütig.

»Es tut mir leid, daß ich es Ihnen nicht früher sagen konnte.«

»Ich verstehe, Sir. Es mußte geheimgehalten werden.«

»Es war geheim, bis jemand den Mund nicht halten konnte. Jetzt weiß es bereits jeder Hafenarbeiter in Bombay. Wenn es geheim geblieben wäre, hätten wir heute morgen auslaufen und genau nach Westen segeln können, ohne mit einem Empfangskomitee hinter dem Horizont rechnen zu müssen.«

»Glauben Sie, daß wir ihnen so entgehen, Sir?«

»Ich weiß es nicht. Tulagee Angria ist kein Dummkopf und hat eine Menge Schiffe. Ich vermute, daß er zwei zusätzliche, eins im Norden und eins im Süden, stationiert hat für den Fall, daß wir auszubrechen versuchen. Ich hoffe jedoch, daß kein Fahrzeug so weit nördlich steht, wie ich segeln will, und selbst dann haben wir einen vollen Tag Vorsprung. Da wir heute morgen nicht ausgelaufen sind, werden sie unser Kommen jetzt nicht mehr vermuten. Das ist meine Hoffnung.«

Fenton nickte. »Voll und bei!« befahl er.

»Voll und bei, Sir«, wiederholte der Rudergänger.

Sie genossen es, an der Reling zu stehen, den Wind und den peitschenden Gischt im Gesicht. Hinter dem Heck leuchtete das phosphoreszierende Kielwasser, bis es sich in der Ferne verlor.

»Segel an Backbord voraus!« Der Ruf aus dem Vortopp alarmierte alle.

Seite an Seite starrten Kommandant und Erster Offizier nach vorn in die Dunkelheit.

Zuerst konnten sie nichts erkennen, aber dann entdeckten sie ein rotes Licht, und ein wenig später die dunklen Umrisse eines Schiffes.

»Was können Sie ausmachen?« rief Kelso zum Ausguck hinauf.

»Ich bin nicht sicher, Sir. Ich sehe einen Mast und Schratsegel. Sieht aus wie eine Korvette.«

»Die *Mercury*?« äußerte Fenton. »Sie müßte jetzt in diesen Gewässern sein.«

»Oder ein Freibeuter«, meinte Kelso und zwang sich zu ruhigem Ton. Es war zu spät, das Schiff gefechtsklar machen zu lassen, falls der Ankömmling Angriffsabsichten hegt. Die *Paragon* konnte zwar rasch in der Dunkelheit verschwinden, aber ihn beunruhigte, daß ihre Position dann bekannt wurde.

»Es ist eine Korvette, Sir«, schrie der Ausguck. »Könnte die *Mercury* sein.« Und dann, nach einer kurzen Pause: »Es ist die *Mercury*, Sir. Sie hat das Erkennungssignal gegeben.«

Kelso stieß sich von der Reling ab und versuchte, seine Erleichterung zu verbergen. »Bestätigungssignal«, befahl er Crane, dem Signalfähnrich. Als die beiden Schiffe einander passierten, wurden Begrüßungsrufe laut, aber Kelso antwortete nicht.

»Ob sie wohl verkünden, daß sie uns hier gesehen haben?« fragte Fenton. »Schließlich ist die *Mercury* schon über einen Monat auf See, sie wissen also nichts von der notwendigen Geheimhaltung.«

»Das macht nichts«, entgegnete Kelso. »Bei dieser Windrichtung brauchen sie zwei Tage bis Bombay. Außerdem wird jeder aus unserem Kurs auf eine routinemäßige Patrouille schließen.« Dann blickte er auf die Uhr. »Zwei Strich nach Steuerbord!«

»Zwei Strich nach Steuerbord«, wiederholte Heslop.

Wenn ihre Navigation stimmte, segelte die *Paragon* jetzt in einem Abstand von rund zehn Seemeilen parallel zur Küste. Bis zum Tagesanbruch würde sie diesen Kurs beibehalten und dann am nördlichsten Punkt ihres Umweges nach Westen abdrehen.

Kelso ging auf der Luvseite des Achterdecks auf und ab, auf dem Teil der Schanze, der auf allen Schiffen der Welt seit altersher dem Kommandanten vorbehalten ist. Wenn er seinem Ersten Offizier etwas mitteilen wollte, was nicht für aller Ohren bestimmt war, so am besten hier, wo niemand sie störte.

»Mr. Fenton!«

»Sir?«

»Ich kann Ihnen jetzt den vollen Umfang unserer Segelorder eröffnen.« Er lehnte sich mit dem Rücken an die Reling und wandte sich an Fenton. »Die *Marie Galante* strandete bei den Amiranten. Einundzwanzig Überlebende, darunter Kapitän Balfour, landeten auf einer namenlosen und unbewohnten Insel, kenntlich an einem Zuckerhutberg im Westen. Die einzige Einfahrt in die geschützte Lagune führt durch eine Lücke im Riff – gemäß Balfours Bericht. Von den Überlebenden starben zwei Schwerverletzte in der ersten Nacht, und acht weitere – die kräftigsten – kamen in dem Rettungsboot um, das wir geborgen haben. Nur Kapitän Balfour weiß etwas von dem Schatz, und außer ihm kannte nur Leutnant Jardine dessen Versteck.«

»Und Jardine ist tot.«

Kelso nickte. »Wenn mir etwas zustößt – trotz dieser Vorsichtsmaßnahmen rechne ich nicht damit, daß wir noch lange ungestört bleiben –, wird es Ihre Aufgabe sein, Mr. Fenton, Kapitän Balfour zu finden und den Schatz zu bergen.«

»Und wenn Balfour tot ist?«

»Dann verwenden Sie kurze Zeit – sagen wir, ein paar Tage – darauf, nach dem Schatz zu suchen. Die Kiste, in der er sich befindet, muß in der Nähe des Strandes sein, weil sie zu schwer ist, um von zwei Männern über eine größere Entfernung getragen worden zu sein. Wenn Sie ihn nicht finden, bleibt Ihnen nichts weiter übrig, als so schnell wie möglich nach Bombay zurückzukehren.«

»Auch ohne den Schatz?«

»Wir sind mit Frankreich im Krieg, wenigstens sieht es so aus. Bombay ist schließlich mehr wert als jeder Schatz.«

»Verzeihung, Sir«, tönte es aus dem Dunkel.

Ärgerlich über die Störung wandte sich Kelso um, bis er die stämmige Gestalt seines Stewards erkannte. »Pastow! Was, zum Teufel, ist los?«

»Ich bitte um Entschuldigung, Sir, aber es ist jemand in Ihrer Kajüte.«

»Was?« Kelso glaubte, sich verhört zu haben. »In meiner Kajüte? Was will er da? Wer ist es?«

»Weiß nicht, Sir. Die Tür ist verschlossen.«

»Bostick?« Er wußte selbst keine Erklärung dafür, daß ihm der Neuling als erster in den Sinn kam. Vielleicht war es die Erinnerung an dessen kürzliche Unverschämtheit, seine offensichtliche Mißachtung jeglicher Disziplin.

»Nein, Bostick nicht, Sir«, sagte Padstow, »den habe ich gerade in der Kombüse getroffen.«

Ärgerlich stieß Kelso hervor: »Wir werden sehen.« Und zu Fenton gewandt: »Übernehmen Sie die Wache, ich gehe nach unten.«

Seine Kajüte war ein von der Offiziersmesse abgetrennter Raum, unmittelbar unter dem Achterdeck gelegen. Oft, wenn er in der Koje lag, wurde er durch Stampfen über seinem Kopf oder durch ein schrilles Kommando geweckt.

Er eilte vor Padstow her den Niedergang hinunter und warf sich gegen die schwere Teakholztür. Das einzige jedoch, was er damit erreichte, war eine Schulterprellung.

»Licht her!«

Er bückte sich zum Schlüsselloch hinunter und sah, daß der Schlüssel innen steckte. Ob Licht brannte, konnte er nicht feststellen.

»Sie muß klemmen.« Er konnte es einfach nicht glauben, daß

irgendein Mitglied der Besatzung die Frechheit besäße, nach achtern zu kommen und dann auch noch in seine Kajüte einzudringen.

»Das dachte ich auch, Sir, bis ich mir fast die Schulter gebrochen habe. Außerdem hat die Tür noch nie geklemmt. Gut gelagertes Teakholz verzieht sich nicht. Also muß sie abgeschlossen sein.«

»Aber wer sollte denn drin sein und warum?« fragte Kelso. Er war jetzt ruhiger. Seit er als jüngster Kommandant der Marine die *Paragon* übernommen hatte, war er bemüht, immer die Ruhe zu bewahren, selbst vor seinem Steward.

»Ich weiß nicht, wer es sein kann, Sir«, erwiderte Padstow, »aber was das Warum betrifft . . .« Er zögerte.

»Nun?«

»Da geht doch das Gerücht von dem Schatz um, Sir. Die ganze Besatzung weiß davon. Wenn vielleicht ein Lageplan oder eine Skizze existierte, das gäbe einen Sinn . . .«

»Aus dem Weg!« Kelso schob ihn beiseite. Dann hielt er den Mund dicht vor das Schlüsselloch und rief laut: »Wer auch da drin ist, hier spricht der Kommandant. Öffnen Sie!«

Er lauschte kurz, dann wiederholte er noch lauter: »Öffnen Sie sofort!«

Einen Augenblick blieb alles still.

Dann hörten sie, daß der Schlüssel im Schloß gedreht wurde. Die Tür öffnete sich langsam, und im Dunkel zeigte sich eine helle Gestalt.

9

»Irina!«

Kelso rief ihren Namen, noch bevor er sie erkennen konnte, er wußte selbst nicht, warum. Er hatte lediglich den Eindruck, daß die Gestalt für einen Mann zu zierlich sei. Dann sah er die Falte des Sari über der Schulter, spürte den Duft von Jasmin. Als sie aus dem Schatten hervortrat, sah er das Glitzern eines Diamanten in ihrem Haar.

»Master?«

Die Stimme kaum mehr als ein Flüstern, verriet ihre Angst. Die vor der Brust gefalteten Hände zitterten.

»Irina, wie bist du denn hierhergekommen?« Kelso wandte sich zu seinem Steward um, dessen Gesicht stoischen Gleichmut ausdrückte. »Schon gut, Padstow.« Dann wartete er, während dieser den Niedergang hinaufstampfte. »Na?«

Sie rannte zu ihm wie ein Kind, und ihr Körper, der sich in seine Arme schmiegte, fühlte sich so glatt und zart an wie der eines Kindes. Schweigend hielt er sie umfangen und lauschte den Geräuschen des Schiffes. Er hörte ein gedämpftes Kommando von oben, einen Stoßseufzer auf der anderen Seite der Trennwand, wo Craig, der Artillerieoffizier, sich fertigmachte zur Wachablösung.

Irina klammerte sich an ihn, ohne zu sprechen. Lediglich das Zucken ihrer Schultern verriet ihm, daß sie weinte.

Von der Glocke ertönten acht Glasen, Zeit zum Wachwechsel. Nebenan brummte Craig noch immer vor sich hin, während er etwas zu suchen schien.

»Komm!« Kelso zog Irina in die Kajüte und schloß die Tür.

Es war vollkommen dunkel im Raum, er mußte sie loslassen, um die Lampe anzuzünden. Als diese brannte und er sich umwandte, saß sie auf dem Kojenrand, die Hände kraftlos im Schoß, ihr Körper wie in Verzweiflung zusammengesunken. Sie hatte aufgehört zu weinen und wandte ihm jetzt ihr tränenfeuchtes Gesicht zu.

Sein Verdacht, daß sie sich absichtlich eingeschlichen habe, war im selben Augenblick verflogen, als er ihr in die Augen blickte.

»Wie ist es denn passiert?«

Er setzte sich neben sie und legte den Arm um ihre Schulter. »Wie ist es denn passiert?« wiederholte er.

Sie klammerte sich erneut an ihn, und aus den Falten seines Rockes heraus flüsterte sie ihre Geschichte.

»Ich brachte dir frische Wäsche, Master, ein Hemd und ein Bettuch, die dein Steward vergessen hatte, und auch ein paar Süßigkeiten, Backwerk von meiner Mutter.«

»Und die Blumen?« Der betäubende Duft von Frangipani, dem roten Jasmin, erfüllte die winzige Kabine.

Lächelnd hob sie das Gesicht zu ihm auf. »Ja, die auch. Sie sollten dich an meine Liebe erinnern.«

Er küßte sie auf die Lippen und fühlte eine Welle von Dankbarkeit in sich aufsteigen für ihre Treue, ihre Hingabe, ihre selbstlose Liebe. Während seines kurzen Aufenthaltes in Bombay war sie ihm alles gewesen: Frau, Geliebte, Dienerin, Freundin. Sie selbst verlangte nichts – außer ihn lieben zu dürfen.

»Master!«

Kaum hatten seine Lippen die ihren freigegeben, als diese sich hungrig wieder auf seinen Mund preßten. Ihre Arme umfingen ihn mit überraschender Kraft, ihr Körper verschmolz mit dem seinen.

»Irina!«

Als er die Spange löste, glitt der Sari von ihrer Schulter. Mit einer kaum merklichen Bewegung entfernte sie sich ein wenig von ihm und ließ das Gewand vollends zu Boden gleiten. Ihr Körper, golden schimmernd im Lampenlicht, war schöner als alles, was er bisher gesehen hatte. Nackt stand sie vor ihm und zog ihn auf die Koje hinunter.

Sie liebten sich, leidenschaftlich zuerst, dann mit einer heiteren Zufriedenheit, die für beide Glück bedeutete. Sie hatten niemals gestritten, niemals die Wunden der Mißverständnisse erleiden müssen, die so viele Menschen einander zufügten. Irina liebte ihn hingebungsvoll und mit so viel Großzügigkeit, daß seine natürliche Zurückhaltung hinweggefegt wurde. Mit ihr konnte er sich entspannen wie mit keiner anderen Frau.

Seite an Seite lagen sie und lauschten auf die Schritte des wachhabenden Offiziers über ihnen. Sie hörten zwei Glasen, dann vier. Aus dem gleichmäßigen Steigen und Fallen des Decks konnte er erkennen, daß die *Paragon* gute Fahrt machte. Archibald, der jetzt Freiwache hatte, wälzte sich ruhelos in seiner Koje jenseits der Wand.

Kelso wandte Irina den Blick zu und betrachtete in dem schwachen Dämmerlicht ihr Profil. Sie hatte edle Gesichtszüge, eine hohe Stirn, eine schmale, gerade Nase und eine Unterlippe, die voll genug war, um Sinnlichkeit anzudeuten. Der Ausdruck ihrer Augen war so heiter und glücklich, als habe sie höchste Erfüllung erreicht.

Er lächelte sie an und fragte mit einer Stimme, in der Ernst mitschwang: »Was soll hier aus dir werden?«

Sie erwiderte ebenfalls lächelnd: »Das hängt von deiner Entscheidung ab, Master.«

»Wir könnten Kurs ändern und dich im Morgengrauen an Land setzen, aber das wäre ziemlich weit von Bombay entfernt.«

»Nein!« Sie erhob sich auf einen Ellbogen und blickte ihn bittend an: »Schick mich nicht weg!«

»Aber was werden deine Eltern sagen?«

»Sie wissen bestimmt, daß ich bei dir bin.«

»Und werden sich keine Sorgen machen?«

»Nein, nicht, wenn ich bei dir bin.«

Er fuhr fort: »Ich möchte dich nicht an Land setzen. Unser plötzliches Auslaufen sollte Angrias Leute täuschen.«

Sie zögerte ein wenig, bevor sie antwortete: »Es sind nicht nur die Angrianer, vor denen du dich in acht nehmen mußt.«

»Was?« fuhr er auf. »Was weißt du davon?«

Sie schmiegte sich an ihn. »Später«, flüsterte sie. »Erst laß uns einander liebhaben.«

Er schob ihren Arm von seiner Schulter und drückte sie zurück auf das Kissen. »Was heißt das, es sind nicht nur die Angrianer, vor denen ich mich in acht nehmen soll?«

»Hast du von der *Mouette* gehört?« fragte sie.

»Lamonts Schiff? Natürlich. Es war früher die *Jeanne d'Arc*, eine französische Fregatte, bis Lamont sie kaperte.«

Das Ganze war ein Akt der Piraterie ohnegleichen gewesen, selbst in jenen wilden Zeiten. Lamont, ein desertierter Offizier, der seinen Kommandanten ermordet und die Besatzung durch Bestechungsgelder angeworben hatte, lebte seit zwei Jahren völlig außerhalb der Gesetze. Er führte sein Piratendasein in der Gegend der Komoren und in der Straße von Mozambique. Er hatte sogar die Kühnheit besessen, einen Ostindienfahrer, die *Dover Castle*, anzugreifen, die von ihrem Konvoi abgekommen ar. Zweifellos hätte er damit Erfolg gehabt, wenn nicht im letzten Augenblick die *Maid of Kent* aufgetaucht wäre.

In scharfem Ton fragte er wieder: »Was weißt du von der *Mouette*?«

»Ich habe gehört, daß sie die Komoren verlassen hat und vor der Malabarküste kreuzt.«

Er überlegte einen Augenblick und schüttelte dann den Kopf. »Das kann nicht stimmen. Wir hätten davon gehört. Vor der Küste hat sich seit Monaten keine Piraterie abgespielt, außer durch die Angrianer von Gheria.«

»Ich habe es aber gehört – mein Vater hat es gehört. Vielleicht ist es ja auch nur Marktgeschwätz ...«

»Was hat er gehört?«

»Daß die *Mouette* gerade angekommen sei, und daß sich Lamont mit Tulagee Angria verbündet habe. Die *Mouette* ist, oder vielmehr war, in Gheria.«

»Ich kann es nicht glauben. Tulagee Angria würde sich doch niemals mit einem Europäer verbünden!«

»Auch nicht für zwanzig Lakhs* Rupien?«

* Lakh of Rupees = hunderttausend Rupien

Er glaubte, ein Geräusch vor der Tür zu hören, hob warnend die Hand. Dann ergriff er seinen Degen und öffnete.

Da war niemand. In dem schwach erleuchteten Gang konnte er nichts entdecken.

Er schloß die Tür wieder, jedoch ohne sie zu verriegeln, und kehrte zu seiner Koje zurück. »Jetzt erzähl mir, was du weißt.«

Sie setzte sich auf, die Hände über den Knien gefaltet. »Mein Vater hat gehört, daß Lamont, der ja Franzose ist, die *Mouette* nach Malabar gebracht hat, weil die Franzosen und deine Landsleute sich im Krieg befinden.«

»Warum sollte er das tun? Er ist doch kein Patriot, im Gegenteil, er ist ein Abtrünniger, ein Renegat, und auf seinen Kopf haben die Franzosen einen Preis ausgesetzt.«

»Vielleicht denkt er, wenn er den Engländern Schaden zufügt, wird man ihn rehabilitieren?«

»Möglich. Aber warum sollte er mit Angria ein Bündnis eingehen?«

»Angria haßt die Engländer. Jeder Feind Englands ist zwangsläufig sein Verbündeter.«

»Nicht unbedingt. Französische Schiffe sind von den Angrianern ebenfalls angegriffen worden. Einige wurden sogar versenkt.«

Sie erwiderte: »Zwanzig Lakhs Rupien sind ein starkes Argument.«

Er setzte sich auf den Kojenrand und blickte sie an. Die kühle Luft, die durchs Heckfenster hereinkam, umspielte seinen Körper. Wenn der Bug wegtauchte, sah er die dunklen Seen und das phosphoreszierende Kielwasser. Der Himmel war sternenklar.

Er überlegte, wie weit er ihrer Erzählung Glauben schenken sollte. Marktgerüchte waren bekanntermaßen unzuverlässig, enthielten aber im allgemeinen ein Körnchen Wahrheit. Soweit er gehört hatte, fuhr auf der *Mouette* eine gemischte Besatzung aus Europäern, einschließlich Deserteure der Französischen Ostindischen Kompanie und Eingeborenen. Es war durchaus denkbar, daß sie den Krieg ausnutzten und gegen die Engländer kämpften in der Hoffnung, daß man ihnen darauf Pardon gewährte. Es war sogar möglich, daß sie ein Bündnis mit Angria eingingen. Auf jeden Fall stand fest, daß sie alles tun würden, um sich des Schatzes zu bemächtigen.

»Was hast du gesagt?« In seine Überlegungen vertieft, hatte er ihr nicht zugehört.

Sie wiederholte: »Ich glaube, der Grund dafür, daß ich hier in deiner Kabine eingeschlossen bin, hat auch mit dem Schatz zu tun.«

»Wieso?«

Sie kroch zu ihm, bis sie sich wieder in seine Arme kuscheln konnte. »Vor einer Woche war Vollmond, und ich konnte nicht schlafen. Du hattest zu tun, um die *Paragon* seeklar zu machen, und kamst in dieser Nacht nicht nach Hause.«

»Ja, ich erinnere mich.«

»Es war sehr heiß. Spät nachts ging ich in den Garten, um ein bißchen von der Seebrise zu spüren. Ich lief bis zum Ende der Klippen, um die *Paragon* zu sehen, aber sie war durch einen Vorsprung verdeckt. Alles, was ich entdecken konnte, waren ihre Mastspitzen und das Ende der Pier. Als ich gerade wieder umkehren wollte, sah ich eine Bewegung auf dem Wasser. Ein kleines Boot, ein Dingi, kam um die Landspitze herum in die Einfahrt.«

»Wo es durch die Felsen vor jedem Beobachter in der Stadt oder auf dem Kai verborgen war«, bemerkte Kelso.

»Ich beobachtete es eine Weile, da ich noch keine Lust hatte, in die Hitze des Hauses zurückzukehren. Ich hielt das Dingi für ein Fischerboot, bis ich sah, daß die Männer darin europäisch gekleidet waren.«

»Wie viele?«

»Drei. Zwei ruderten und einer, ein wahrer Riese, stand vorn im Bug.«

Kelso verstand sofort. »Der große Mann war blond und hatte einen Bart?«

Sie nickte. »Es war alles deutlich zu erkennen im Mondlicht. Mit seinem fast weißen Bart und seiner ungeheuren Gestalt wirkte er wie ein Meeresgott, die Begleiter dagegen wie Zwerge.«

»Was geschah weiter? Gingen alle drei an Land?«

»Nein, nur der Riese. Als das Boot den Strand erreicht hatte, sprang er auf den Sand und ging rasch hinüber zu den Felsen, ohne noch ein einziges Wort an die anderen zu richten.«

»Was wurde aus dem Boot?«

»Die beiden ruderten wieder hinaus auf die Reede. Ich beobachtete es noch eine ganze Weile, als plötzlich der bärtige Riese dicht vor mir durch die Büsche brach, keinen Steinwurf weit entfernt.«

»Er war die steile Klippe hinaufgeklettert? Von deinem Standort aus fällt sie doch beinahe senkrecht ab!«

»Ich weiß. Deswegen traute ich ja auch kaum meinen Augen.

Er war so nah, doch wußte ich, daß er mich wegen des weiteren steilen Anstiegs nicht so rasch erreichen konnte.« Sie kroch noch näher an Kelso heran und ergriff dessen Arm. »Einen Augenblick lang starrten wir uns an, ich noch immer ungläubig, er haßerfüllt.«

»Warum sollte er dich hassen?«

»Weil ich ihn gesehen hatte und somit wußte, daß er heimlich an Land gekommen war. Es war mir klar, daß er ... –«, sie zögerte ein wenig – »mich umbringen würde, wenn er mich erwischte.«

Er hielt sie ganz eng an sich gepreßt und spürte ihr Zittern. Beruhigend streichelte er ihr übers Haar.

»Warum hast du mir das alles nicht schon früher erzählt?«

»Ich sah dich erst in der nächsten Nacht wieder. Du hattest den ganzen Tag an Bord und am Kai gearbeitet und warst müde. Kaum lagst du im Bett, warst du schon eingeschlafen.«

Lächelnd sagte er: »Ja, ich erinnere mich.«

»Als ich den Ausdruck seiner Augen sah, wandte ich mich um und floh. Ich lief den Hügel hinauf, zu Fraser Sahibs Haus und von dort zu uns.«

»Und er hat dich nicht eingeholt?«

»Nein. Ich habe ihn nicht wiedergesehen – bis heute abend.«

»Als du den Kai entlangkamst?«

»Ja. Der Riese ist hier an Bord!«

Es fügte sich alles genau in ein Muster, eine Geschichte, die durchaus zutreffen konnte. Wenn Bostick ein Deserteur der Ostindischen Kompanie war, was gab es dann Natürlicheres für ihn, als sich mit einem Freibeuter wie Lamont zusammenzutun? Für diesen wiederum war es das Beste, ihn als Spion anzusetzen. Selbst wenn die *Paragon* der *Mouette* und den Gallivaten Angrias entging, hatte Lamont dann immerhin schon einen seiner Leute an Bord.

»Was geschah eigentlich auf dem Kai?« fragte Kelso weiter.

»Er erkannte mich sofort. Bevor ich fliehen konnte, hatte er mich gepackt und in die Arme genommen.«

»Das habe ich gesehen, aber was spielte sich nachher ab, als du wieder frei warst?«

»Ich kam an Bord – ich wußte nicht, was ich sonst tun sollte. Vielleicht weil ich Angst hatte, lief ich zu dir.«

»Aber du hast mich nicht erreicht.«

»Ich lief nach unten. Ich dachte mir, wenn ich in deine Kajüte gehe, kann er mir nicht folgen.«

»Das war richtig. Keiner der Besatzungsmitglieder außer den Stewards darf in die Offiziersräume.«

»Nachdem ich die Wäsche in deine Seekiste gelegt und das Gebäck auf den Tisch gestellt hatte . . .«

»Und die Blumen.«

Sie lächelte und schlug die Augen nieder. »Und die Blumen, öffnete ich die Tür, und da stand er und erwartete mich.«

»Was, hier vor der Kajüte?«

»Ja.«

Kelso fühlte den Ärger in sich aufsteigen, aber als er nun sprach, schien er ganz ruhig. »Er muß wirklich alles versucht haben, deiner habhaft zu werden, daß er sogar ein Auspeitschen riskierte! Gott sei Dank, daß du die Tür abgeschlossen hast!«

»Glaubst du, daß er mich umbringen will?«

»Ich fürchte, ja. Du bist die einzige Zeugin, die beweisen kann, daß er nicht das ist, was er zu sein vorgibt.«

Sie erbebte. »Ob er es wieder versucht?«

»Das bezweifle ich. Er weiß, daß du mich jetzt gesehen und mir alles erzählt hast. Es ist nun zu spät dazu und würde ihm keinen Vorteil mehr bringen.«

»Was wird er tun?«

»Nichts.« Er begann sich anzukleiden. »Wir werden ihn im Ungewissen lassen, so daß er rätselt, ob du ihn erkannt hast.«

»Ist das nicht gefährlich?«

»Wir behalten ihn im Auge. Zweifellos hofft er, uns an Lamont verraten zu können, aber wir sind ja gewarnt. Es ist beinahe ebenso wertvoll, einen enttarnten Spion im eigenen Lager zu haben, wie einen eigenen Spion in den Reihen des Feindes.«

10

Die Fahrt über den Indischen Ozean war eine der schnellsten, aber auch der glücklichsten, die Kelso je erlebt hatte. Nachdem sie drei Tage gegen den Monsun angekreuzt waren, schlug das Wetter um, die Sonne kam heraus, Himmel und Meer waren tiefblau, und die *Paragon* zog unter vollen Segeln bei halbem Wind ihre Bahn.

Es war ein besonders glücklicher Umstand, daß der Monsun diesmal so früh aufhörte und der Südostpassat ihn schon so weit nördlich ablöste. Die Seeleute, die harte Tage und Nächte an den Brassen und Fallen hinter sich hatten, genossen es, daß sie jetzt Zeit hatten, ihre Sachen zu waschen und auszubessern oder, wenn der

Bootsmann nicht in der Nähe war, den fliegenden Fischen zuzuschauen. Abergläubisch wie alle Seeleute, schrieben sie ihr Glück der Anwesenheit der »Liebsten des Kapitäns« zu. Irina, deren Schönheit und Bescheidenheit in so starkem Gegensatz zu dem dreisten Charme der Flittchen in den Hafenkneipen stand, war bald die beliebteste Erscheinung an Bord. Niemand belästigte sie oder trat ihr zu nahe, die Besatzung schien es zufrieden, sie aus der Ferne zu beobachten und zu bewundern, zumal sie mit niemandem sprach, außer mit Padstow. Dieser hatte brummend eingewilligt, daß sie die Mahlzeiten für seinen Herrn kochte und diesem servierte. Bostick ging ihr weit aus dem Wege, obgleich Kelso öfter sah, wie er sie mit abschätzenden, berechnenden Blicken betrachtete.

Nachdem sie den Küstenverkehr und die Fischerboote mit ihren Lateinersegeln hinter sich gelassen hatten, war kein einziges Fahrzeug mehr in Sicht gekommen. Als weiterhin jede Morgendämmerung einen bis zum Horizont leeren Ozean enthüllte, als die Tage verstrichen, ohne daß der Ausguck im Vortopp etwas meldete, begann Kelso zu glauben, daß sie Lamont und seinen angrianischen Alliierten entkommen waren.

Für ihn und Irina waren dies Tage ungetrübten Glücks. Wenn die Inderin nicht damit beschäftigt war, seine Mahlzeiten zu bereiten oder zu servieren, saß sie unter einem Sonnensegel an Deck und flickte Kelsos Hemden und die abgetragenen Breeches oder stopfte seine Strümpfe. Manchmal saß sie auch stundenlang untätig, ein fertig geflicktes Hemd auf dem Schoß, ein glückliches, zufriedenes Lächeln im Gesicht. Wenn Kelso sie betrachtete, war ihr Blick immer auf den Horizont gerichtet. Manchmal machte sie abends einen Spaziergang auf dem Achterdeck, aber nur, wenn der Kommandant unten war. Nachts liebten sie sich in seiner Kajüte.

Nachdem sie zehn Tage unterwegs waren, sichteten sie die Seychellen. Kelso, der die Mittelwache übernommen hatte, schlief in Irinas Armen, als er im Unterbewußtsein den Ruf des Ausgucks im Vortopp hörte: »Land an Steuerbord voraus!«

Er war aus der Koje und in seiner Hose, bevor Irina wach wurde.

»Was ist?« Sie setzte sich auf und hob das Laken vor ihre Brust, als sei Züchtigkeit selbst ihrem Liebhaber gegenüber angebracht.

»Ich muß an Deck.«

»Wie spät ist es?«

»Es sollte bald hell werden. Du schläfst am besten weiter.«

Als er an Deck kam und einen dunklen Streifen am Horizont entdeckte, ja sogar – oder war es Einbildung? – einen schwachen Duft von Mimosenblüten wahrnahm, schämte er sich sehr. Seine Navigation hatte ihm einen üblen Streich gespielt. Sie waren viel weiter westlich als angenommen. Seine Absicht war es gewesen, die Seychellen bei Nacht und etwa zehn Meilen östlich zu passieren.

Jetzt, da sie in piratenverseuchte Gewässer kamen, war äußerste Vorsicht geboten.

»Ruder hart Lee!«

Die *Paragon* legte sich über und drehte ab vom Land.

»Wir haben gute Fahrt gemacht, Sir.« Es war Fenton, der Wache hatte.

Kelso nickte. »Hoffen wir, daß unser Glück hält!«

Er stützte sich auf die Querreling und sah zu, wie die Sonne über den Horizont stieg. Die fliegenden Fische sprangen aus dem Wasser wie Neptuns Sendboten, während die *Paragon* durchs tiefblaue Meer schäumte.

»Wer ist oben?« fragte er.

»Benson, Sir.«

»Schärfen Sie ihm ein, daß er wach bleibt.«

»Oh, der ist wach, Sir. Er hat das Land sehr früh gesichtet, als es noch fast dunkel war.«

Kelso nickte. Fentons Stimme hatte verletzt geklungen, darum fügte er erklärend hinzu: »Wir kommen jetzt in gefährliche Gewässer. Der Erfolg unserer ganzen Unternehmung kann davon abhängen, daß wir wachsam bleiben.«

Um weitere Erklärungen zu vermeiden, nahm er seinen traditionellen Morgenspaziergang auf der Luvseite auf: zwölf Schritte nach vorn, zwölf Schritte nach achtern. Unten auf dem Hauptdeck waren die Seeleute der Wache bereits eifrig dabei, auf Händen und Knien mit Sand und Scheuerstein die Decksplanken zu scheuern. Bis zum Wecken war es noch gut eine Stunde.

Ein Licht erregte seine Aufmerksamkeit, als er an der Heckreling kehrtmachte. Er glaubte zunächst, es sei Sonne, die von einer nassen Stelle an Deck reflektiert wurde, und setzte seinen Weg fort. Aber nach drei weiteren Schritten sah er es wieder.

»Mr. Fenton!«

Die Dringlichkeit des Rufes ließ diesen in höchster Eile herbeistürzen.

»Sehen Sie das Licht dort vorn?«

Mit der Sonne im Rücken konnten sie alles im Vorschiff genau erkennen: die Luken, Groß- und Fockmast, die Back.

»Nein, ich sehe nichts, Sir, es ist wohl die Son...«

»Da!« Er packte Fenton am Arm und zeigte nach vorn. »Dort, vor dem Großmast!«

Sie sahen es jetzt beide ganz deutlich: Das Sonnenlicht wurde reflektiert, es gab einen Lichtblitz wie aus einer Signallampe. Sie konnten wohl das Blitzen, aber nicht den Mann sehen, der es verursachte, weil sie geblendet waren, bis es erneut aufblitzte. Er schien irgendwo an Steuerbord auf dem Vordeck zu stehen.

»Nehmen Sie die Backbordseite«, rief Kelso, »ich suche an Steuerbord. Den Kerl müssen wir kriegen!«

Sie liefen die beiden Niedergänge hinunter und über das Hauptdeck. Die Leute mit ihren Scheuersteinen und Wasserpützen blickten erstaunt auf, als die beiden Offiziere vorbeirannten. Das Blitzen hatte aufgehört, vielleicht war es auch nur durch das Großluk verdeckt, aber Kelso hatte einen Punkt zwischen Großmast und Back angepeilt, an dem seinem Eindruck nach der Mann gestanden haben mußte.

Als er ankam, war dort niemand. Das weißgescheuerte Deck war leer. Er sprang auf die Luke, aber die einzige Bewegung, die er wahrnahm, war die von Fentons Kopf auf der Backbordseite.

»Irgendetwas?«

»Nein, Sir.«

Er öffnete die Luke und sprang hinunter. Aufgetuchte Segel, Tauwerk, ein Korb voll Segelgarn und Nadeln, die Latham, dem Segelmacher, gehörten. Hier war nicht einmal genug Platz für eine Katze, geschweige denn für einen Mann.

»Er muß nach vorn gegangen sein.«

»Nein, Sir – mit allem Respekt.«

»Warum nicht?«

»Er hätte Fußspuren an Deck hinterlassen.«

»Außer wenn er barfuß war.«

Der Mief, den sechzig Mann erzeugten, die Seite an Seite bei geschlossenen Geschützpforten in dieser Hitze schliefen, überfiel ihn, als er den Mannschaftsraum unter der Back betrat. Es hatte ihn immer gewundert, daß die Seeleute nachts in ihrem engen Raum lagen und diesen Gestank erduldeten, anstatt in der frischen Luft an Deck zu schlafen.

Trotz seines Eifers, den Signalisierer zu finden, stieg er den Niedergang langsam hinunter. Er pausierte einen Augenblick, nachdem er die Lampe hochgeschraubt hatte, und wartete, bis einige der Schläfer in seiner Nähe aufwachten. Es war nicht üblich, daß Offiziere den Mannschaftsraum betraten, es sei denn in Begleitung des Bootsmannes oder eines seiner Maaten.

Der erste Seemann, der wach wurde und den Kommandanten erkannte, war Sewell, ein kleiner, drahtiger Schotte undefinierbaren Alters. Er richtete sich auf und grüßte.

»Wie lange sind Sie schon wach, Sewell?«

»Die ganze Nacht, Sir – konnte nicht schlafen.«

»Wieso?«

»Zahnschmerzen, Sir. Das liegt wohl an dem harten Schiffszwieback.«

»Melden Sie sich am Morgen bei Mr. Foulkes.«

»Bitte um Entschuldigung, Sir, aber das ist nicht nötig. Die Zahnschmerzen lassen schon nach.«

Kelso machte ein strenges Gesicht, um sein Lachen zu verbergen. Ihm fiel aus seiner eigenen Kadettenzeit ein, welche Angst sie alle vor dem Schiffsarzt gehabt hatten, dem es freistand, Zähne zu ziehen oder verletzte Gliedmassen zu amputieren. Niemand ging freiwillig zu ihm.

»Irgendjemand ist hier vor ein paar Minuten heruntergekommen. Sie müssen ihn gesehen haben.«

Sewell machte ein erstauntes Gesicht. »Nein, Sir, bitte um Entschuldigung, da war niemand.«

»Sie sind ganz sicher?«

»Ja, Sir. Ich war die ganze Zeit hier, es ist ja mein Platz.«

»Und niemand ist vorbeigekommen?«

»Nein, Sir, Sie können selbst sehen. Um den Niedergang zu erreichen, müssen sie über mich wegsteigen – das tun sie bei der Wachablösung. Oft wache ich nachts von einem Fußtritt auf.«

Kelso blickte sich um: überall erhobene Köpfe und Schultern der noch schlaftrunkenen Seeleute.

»Wo schläft Bostick?«

Sewells Gesicht nahm einen wissenden Ausdruck an, der Vergnügen darüber zu verraten schien, daß es um den Neuankömmling ging. Nach der Schilderung des Bootsmannes war Bostick bei den anderen Besatzungsmitgliedern äußerst unbeliebt.

»Schläft nicht hier unten, Sir.«

»Sie meinen, überhaupt nicht?«

»Richtig, Sir. Der sondert sich lieber ab!«

Kelso nickte und stieg wieder hinauf. Die Decks waren jetzt von goldenem Morgenlicht überflutet.

Der vordere Teil des Oberdecks war noch leer, lediglich ein Seemann machte dort die Speigatten sauber.

»Wo schläft Bostick?« fragte Kelso.

»Sir?«

»Bostick, der Neue.«

»Oh, der! Entschuldigung, Sir, er schläft gewöhnlich neben der vorderen Luke.«

Wenn Bostick sich verbergen wollte, hätte er keinen besseren Platz wählen können. Hinter dem Luk waren Tautrommeln an den Decksstützen festgezurrt, so weit auseinander, daß ein Mann dazwischen Platz fand.

Bostick lag dort mit geschlossenen Augen, anscheinend in tiefem Schlaf. Sein Kopf mit der Masse ungebändigten blonden Haares lag auf einer Rolle aufgeschossenen Tauwerks, seine Beine umschlossen eine weitere Rolle. Dies war etwa der Ort, wo Kelso das Aufblitzen gesehen hatte.

Er beugte sich hinab und schüttelte den Riesen an der Schulter.

»Bostick!«

Der mächtige Körper rührte sich, das bärtige Kinn schob sich vor, aber die Augen blieben noch geschlossen.

»Bostick!«

Zögernd öffnete dieser jetzt die Augen. Er schien aus tiefstem Schlaf zu erwachen und starrte Kelso an, zunächst ohne ihn zu erkennen. Er machte keinerlei Anstalten, sich zu erheben.

Kelso wartete, aber Fenton, stets auf Disziplin bedacht, stieß ihn mit dem Fuß an und schrie: »Aufstehen!«

Einen Augenblick lang schien Bostick nicht willens zu gehorchen. Er wandte den Kopf, um den Mann zu sehen, der ihn getreten hatte.

»Wie lange liegen Sie hier schon?« fragte Kelso.

»Nicht lange genug.« Der mächtige Mann versuchte nicht im geringsten, seinen Unwillen zu verbergen.

»Wie lange?« wiederholte Kelso, und Fenton fügte drohend hinzu: »Sie werden respektvoll antworten, wenn Sie nicht Bekanntschaft mit der siebenschwänzigen Katze machen wollen!«

Wieder war Bosticks wütender Blick auf Fenton gerichtet, aber er antwortete nicht ihm, sondern dem Kommandanten.

»Weiß nicht genau – Sir. Seit ich von Wache kam.«

»Wann war das?«

»Die Hundewache, Sir – Ihre Wache.«

Das konnte stimmen. Die *Paragon* lief jetzt so ruhig und gleichmäßig, daß keine größeren Segelmanöver nötig waren. Die Wache hatte die ganze Zeit über im Versaufloch des Großdecks gesessen und sich unterhalten. Wahrscheinlich war Bostick ebenfalls dort gewesen, vom Achterdeck aus nicht zu sehen.

»Irgend jemand hier hat Signale gegeben«, sagte Kelso. »Waren Sie es?«

Obgleich Kelso selbst sechs Fuß* groß war, überragte Bostick ihn wie ein Turm. Er blickte mit kaum verhohlener spöttischer Miene auf den Kommandanten herab. »Signale gegeben, Sir? Wem?« Er blickte vielsagend über den völlig leeren Ozean.

»Lassen Sie das! Haben Sie signalisiert?«

»Nein, Sir.«

»Haben Sie einen Spiegel?«

»Nur zum Rasieren.«

Kelso beobachtete Bostick, fest entschlossen, sich nicht zu Wutausbrüchen reizen zu lassen. War es möglich, daß dieser Mann mit einem Bart wie ein Wikinger sich rasierte? Fenton, der Bostick ärgerlich anstarrte, schien es zu bezweifeln.

»Zeigen Sie ihn her«, befahl Kelso.

»Sir?«

»Ihren Spiegel! Zeigen Sie ihn mir.«

Zum erstenmal war dem Riesen eine gewisse Unsicherheit anzumerken. Sein Blick irrte ab, und er erwiderte beinahe trotzig: »Ich habe ihn nicht hier.«

»Wo ist er?«

»Unten bei meinen Sachen.«

»Holen Sie ihn.« Kelso nickte dem Leutnant zu. »Bitte begleiten Sie ihn, Mr. Fenton.«

Bostick ging zögernd – es schien fast, als wolle er nicht gehorchen – und warf einen zweifelnden Blick auf den Kommandanten, bevor er verschwand.

Die Sonne war jetzt angenehm warm, und das frisch gewaschene Deck dampfte. Der Wind hatte im Lauf der Nacht ein bis zwei Strich geschralt, war aber noch immer günstig. Padstow kam nach vorn, er sah besorgt aus.

»Da sind Sie ja, Sir. Ich dachte schon, ich finde Sie nicht.« Er watschelte mehr als er ging, dann baute er sich mit gespreizten Beinen vor Kelso auf. »Kaffee ist fertig, Sir.«

»Ich komme hinunter.«

* 1.83m

»Und Ihr Rasierzeug, Sir?«
»Machen Sie es bereit.«
Padstow, der sonst stets früher als sein Kommandant aufzustehen pflegte, war noch immer ein wenig durcheinander. Auch die Anwesenheit des indischen Mädchens an Bord machte ihm zu schaffen. Schaukelnd ging er über das Deck zurück. Plötzlich hielt er an, bückte sich neben dem Großmast und griff hinter eine Nagelbank.
»Brauche nur noch Ihr Rasiermesser, Sir, und Seife.« Er hielt die Hand hoch. »Einen Spiegel hat uns jemand schon hingelegt.«

11

»Nun?«
»Kann ihn nicht finden – Sir.« Bostick wirkte jetzt noch unsicherer. Sein Blick irrte mißtrauisch zwischen dem Kommandanten und dem Ersten Offizier hin und her.
»Was haben Sie mit ihm gemacht?«
»Weiß nicht, Sir. Habe nicht viel Bedarf an Spiegeln, wenn ich auf See bin.«
Das konnte durchaus stimmen. Haar und Bart des Riesen waren mehr als verwildert. Wahrscheinlich hielt er sich wie die meisten Seeleute nur so sauber wie unbedingt nötig, um bei der Untersuchung durch Bootsmann und Schiffsarzt nicht unangenehm aufzufallen. Rasieren und Haarschneiden blieben auf die Hafentage beschränkt.
»Beschreiben Sie den Spiegel.«
»Sir?«
»Wie sieht er aus?«
Wieder zeigte Bostick Unsicherheit. Er trat von einem Fuß auf den anderen und vermied es, dem Kommandanten in die Augen zu blicken.
»Er ist aus Glas wie jeder Spiegel. Nicht groß – nicht größer als meine Hand.«
»Ist es dieser hier?« Kelso hielt ihm den Spiegel hin, den Padstow gefunden hatte.
Bostick warf nur einen kurzen Blick darauf. »Nein, Sir.«
»Das ist nicht der Ihrige?«
»Nein, Sir.«
Zwei seiner Kanten waren glatt, die anderen unregelmäßig ge-

zackt. Es handelte sich offensichtlich um ein Bruchstück, das kaum die Größe einer Männerhand hatte. »Seltsam«, sagte Kelso und drehte den Spiegel um, »weil nämlich jemand Ihr Initial eingeritzt hat.«

»Sir?« Anscheinend völlig verwirrt betrachtete Bostick eingehend den auf die Rückseite gekratzten Buchstaben. Es konnte die Ziffer Acht sein oder das große B und schien von einem Analphabeten zu stammen.

»Das ist nicht mein Initial, Sir.«

»B für Bostick?«

»Nein, Sir. Außerdem, wenn ich meine Sachen zeichne, dann tue ich es mit einem J für Jakob. Aber ich habe hier an Bord nichts gekennzeichnet, denn niemand wird mir etwas stehlen.«

Kelso, der ihn aufmerksam beobachtete, merkte, daß Bosticks Selbstvertrauen allmählich zurückkehrte. Dieses Spiegelstück schien ihn jedenfalls nicht zu überführen, selbst wenn er es gewesen sein sollte, der die Signale gegeben hatte.

»Noch etwas, Sir.« Bostick zeigte auf die Scherbe. »Diese Kratzer sind neu, und ich habe meinen Spiegel seit Bombay nicht mehr in der Hand gehabt.«

Die *Paragon* segelte nach Süden und lief weiter ihre acht Knoten, den ganzen Morgen und den größten Teil des Nachmittags. Es war ein herrlicher Tag, Himmel und Meer strahlten in fleckenlosem Blau, von keiner Wolke, nicht einmal von einer Schaumkrone unterbrochen. Auf dem Oberdeck saß singend die Freiwache, mit Nähzeug und Utensilienkasten beschäftigt. Latham, der Segelmacher, nähte mit Segelnadel und Segelhandschuh, während der wachhabende Marineinfanterist, gegen die Nagelbank des Großmastes gelehnt, friedlich vor sich hindöste.

Kelso schien alles fast zu schön, um wahr zu sein. Seit Bombay hielt ihre Glückssträhne jetzt schon an, und obwohl er nicht abergläubisch war, bedrückte ihn doch das unbestimmte Gefühl, es könne nicht mehr lange so weitergehen.

Vielleicht war Bostick der auslösende Faktor. Der blonde Hüne beobachtete ihn jetzt – oder blickte er einfach über das Meer? Wenn er morgens signalisiert hatte, so war seine Anstrengung vergebens gewesen, denn noch zeigte sich kein anderes Schiff am Horizont.

»Wie lange wird es dauern, bis wir unseren Bestimmungsort erreichen, Sir?« fragte Fenton. Er bedauerte es, daß der Kommandant den verdächtigen Bostick nicht hatte in Eisen legen lassen. Schließlich war des Mannes Verhalten ausgesprochen aufsässig gewesen. Es ging immerhin um die Bergung eines Schatzes im Wert von einer Viertelmillion Pfund, da war kein Platz für Sentimentalität.

Andererseits hatte Fenton großen Respekt vor seinem Kommandanten. Lediglich zu dessen Unterstützung hatte er jetzt sein sonst übliches Schweigen gebrochen und die Frage gestellt.

Kelso, der ihn lange genug kannte, verstand das sehr wohl. »Wenn der Wind so bleibt«, erwiderte er, »könnten wir in zwei Tagen dort sein. Dann jedoch müssen wir erst einmal die richtige Insel finden.«

»Nach Kapitän Balfours Beschreibung sollte das eigentlich nicht allzu schwierig sein.«

»Sie dient uns lediglich als Anhaltspunkt. Hoffentlich ist auf seine Navigation Verlaß!« Kelso dachte an seinen eigenen Irrtum, der sich beim Insichtkommen der Seychellen herausgestellt hatte.

»Wenigstens ist niemand hinter uns her, Sir. Unser Eintreffen bei den Amiranten wird also unbemerkt bleiben.«

»Das bezweifle ich. Jedes Schiff in diesen Gewässern muß geradezu Spießruten laufen, bei all den Beobachtern an Land. Wer weiß, wieviele Piraten oder Freibeuter sich dafür interessieren, wenn ein Marineschiff hier ankert?«

»Doch nur zur Proviant- und Trinkwasserergänzung, Sir. Nichts Ungewöhnliches.«

»Wenn wir gleich die richtige Position finden und Kapitän Balfour noch am Leben ist. Sonst werden wir erheblichen Verdacht erregen, wenn wir von einer Insel zur anderen segeln und dann noch nach dem Schatz suchen.«

Fenton zögerte. »Das heißt, Sir, daß auch Sie selbst nicht wissen, wo er versteckt ist?«

»Genau. Ich kenne nur die Position und die Beschreibung der Insel. Darüberhinaus sind wir auf Balfour angewiesen.«

»Sir!« Der Ruf kam vom Quartermaster am Ruder. »Der Wind schralt und frischt auf. Sieht aus, als käme schweres Wetter.«

Es war wie ein böses Omen. Als Kelso zum Großsegel aufblickte, sah er den Druck, dem die Schoten ausgesetzt waren, und spürte jetzt auch die veränderte Bewegung des Decks. Wenn der Wind noch weiter schralte, mußten sie kreuzen, dann war es vorbei mit dem gemütlichen Segeln bei halbem Wind, der nun schon seit einer Woche anhielt.

»Zwei Strich nach Backbord!« rief er.

»Zwei Strich nach Backbord, Sir«, wiederholte der Rudergänger.

»An die Brassen!« befahl Fenton der Wache.

Kelso kümmerte sich nicht um das Anbrassen, das für Fenton und die Wache Routine war, oft genug geübt von seinen Wachoffizieren und den erfahrenen Seeleuten.

Desto überraschter war er, plötzlich wildes Geschrei und Fluchen zu hören und ein Dutzend Männer an Deck fallen zu sehen.

»Was, zum Teufel, ist da los?« Er lief zur Querreling und blickte hinab auf die sich übereinander Wälzenden. »Mr. Larkins, was soll das heißen?«

»Die Großbrasse ist gebrochen, Sir«, rief ein Seemann. »Jemand hat sie angeschnitten.«

Von vorn kam noch lauteres Geschrei, und die Bedienung des Fockmastes, einschließlich des blonden Bostick, wälzte sich im Wassergang.

»Die Brassen! Irgendein Schuft hat die Brassen gekappt!«

Kelso wandte sich nach achtern, um die Männer am Kreuztopp zu warnen, aber sein Ruf ging bereits in deren zornigem Geschrei unter.

Zum Überlegen blieb keine Zeit, es mußte sofort gehandelt werden. Befreit von ihrem Halt durch Brassen und Schoten, schlugen Mars- und Bramsegel an allen drei Masten wild hin und her. Der Rudergänger hatte das Schiff nicht mehr in der Gewalt, es gehorchte nicht mehr dem Ruder. Die Decksbewegung wurde bokkig und unregelmäßig.

»An die Fallen!« schrie Kelso in den Tumult hinein. »Weg die Rahsegel!«

Es war keine Zeit, die Segel einzurollen, sie wurden nur aufgegeit und die Gordings steifgeholt. Lediglich die Vorsegel blieben stehen und gaben dem stampfenden Schiff wenigstens eine gewisse Stabilität. Der Bootsmann war bereits oben und inspizierte den Umfang des Schadens.

»Was ist da passiert?« fragte Kelso, während er vom Achterdeck aus beobachtete, wie an allen drei Masten fieberhaft gearbeitet wurde. Ohne ihre Rahsegel war die *Paragon* zumindest stark manövrierbehindert und langsam. Wenn jetzt ein Angriff erfolgte, wäre sie ein bequemes Ziel gewesen.

Die Untersuchung schien endlos zu dauern, während der Bootsmann mit seinen Maaten das gesamte Tauwerk inspizierte, was durch die schlagenden Segel stark erschwert wurde. Es briste auf, der Wind hatte auf Südsüdost gedreht, und der Himmel bezog sich.

»Wie lange noch, Mr. Larkins?«

»Ich komme herunter, Sir!«

Der Bootsmann schob sich auf der Rah an seinem Maaten vorbei und rutschte dann eine Pardune herunter, so behende wie der jüngste Schiffsjunge. Einen Augenblick später stand er vor Kelso und salutierte.

»Nun?«

»Die Brassen, Sir, und die Schoten sind angeschnitten worden.«

»Alle? Ganz sicher?«

»Kein Zweifel, Sir. Jemand hat sie knapp über den Belegnägeln angeschnitten. Sobald sie durchgesetzt wurden, brachen sie.«

Ein Gemurmel der Empörung und Erregung war vom Großdeck zu hören. Kelso suchte instinktiv nach Bostick und entdeckte ihn abseits der anderen, gegen die Nagelbank des Großmastes gelehnt, mit in die Seite gestemmten Armen. Stand da nicht ein triumphierendes Lächeln auf seinem Gesicht?

»Was ist zu tun?« fragte Kelso den Bootsmann. »Können Sie alle spleißen lassen?«

»Entweder das, Sir, oder neues Tauwerk scheren, je nachdem, wieviel wir in der Segelkoje haben.«

»Nicht genug für neue Brassen und Schoten, Sir«, bemerkte Latham, der Segelmacher. »Die alten müssen gespleißt werden.«

»Gut«, sagte Kelso. »Wie lange wird das dauern?«

»Sie müssen alle gespleißt werden, Sir, die Brassen an allen drei Masten, und dann noch die Backbordschoten.«

»Die sind alle angeschnitten worden?«

»Ja, Sir, alle in Deckshöhe.«

»Wie lange brauchen Sie?«

»Weiß nicht, Sir. Bei dem auffrischenden Wind und der hereinbrechenden Dämmerung kann ich froh sein, wenn wir morgen früh damit fertig sind.«

Kelso packte die Reling mit aller Kraft, um seinen Ärger, seine Enttäuschung zu verbergen. Er sah keinen Ausweg. Es blieb höchstens zwei Stunden, vielleicht sogar weniger, bis zum Sonnenuntergang und der dann folgenden, kurzen tropischen Dämmerung. Im Augenblick war die See zwar leer bis zum Horizont. Aber wie würde es morgen früh aussehen?

Er nickte Fenton zu. »Gut, Mr. Fenton, lassen Sie beidrehen. Mr. Latham, ich möchte zumindest die Großbrassen und alle

Schoten gespleißt bis Sonnenuntergang wieder eingeschoren haben. Ist das klar?«

»Aye, aye, Sir.« Der Segelmacher kratzte sich am Kopf. »Verzeihung, Sir, aber . . .«

»Bis Sonnenuntergang, Mr. Latham!«

Mit gespreizten Beinen, die Hände hinter dem Rücken, stand Kelso wie ein Muster an Ruhe und Selbstbeherrschung, während die Brassen und Schoten abgestoppt und ihre losen Enden dann mit dem Tauwerk zusammengespleißt wurden, das inzwischen wieder durch die Fußblöcke geschoren war. Unter den schwieligen Händen der alten, erfahrenen Seeleute ging die Arbeit verhältnismäßig rasch vonstatten, auch wenn es Kelso noch viel zu langsam vorkam. Er bezweifelte, daß sie vor Einbruch der Dunkelheit wieder unter vollen Segeln fahren konnten, als er durch einen Ruf aus dem Vortopp aufgeschreckt wurde.

»An Deck! Segel vier Strich an Backbord!«

Rasch wandte er sich um und blickte in die angegebene Richtung, konnte aber nichts ausmachen.

»Wie viele?« rief er.

Es folgte eine kurze Pause, während der Ausguck sein Glas über den Horizont wandern ließ. »Nur eins, Sir, eine Fregatte, nach dem Schnitt ihrer Marssegeln zu urteilen.«

»Wie weit?«

»Nur die Masten zu sehen, Sir, Rumpf noch unter der Kimm.«

»Sonst nichts?«

»Nein, Sir, außer . . . Doch, da ist noch etwas, Sir – könnten Gallivaten sein.« Dann fügte er hinzu: »Ja, es sind welche, Sir, ich sehe sie jetzt deutlicher. Lateinersegel – zwei, drei, möglicherweise vier.«

Bostick stand am Backbordschanzkleid, sein blondes Haar leuchtete in den Strahlen der tiefstehenden Sonne wie ein Fanal, sein Blick war auf den Horizont gerichtet.

»Mr. Latham!« rief Kelso.

Der Segelmacher stolperte über das Gewirr an Deck, ein Tauende in der einen, Segelnadel und Takelgarn in der anderen Hand.

»Sir?«

»Wie lange noch?«

»Noch nicht ganz fertig, Sir – wir arbeiten, so schnell wir können. Sonnenuntergang haben Sie gesagt, Sir, mit Respekt, und erst mal nur das Großsegel.«

Kelso zwang sich zu einem Lächeln. »Gut, Mr. Latham, tun Sie Ihr Möglichstes!«

Er konnte sich nicht einen raschen Blick in Richtung der gesichteten Schiffe verkneifen, aber die Sichtweite war jetzt beschränkt auf etwa fünf Meilen. Selbst bei dem frischeren Wind konnten die Piraten – vorausgesetzt, daß es wirklich Lamont und seine Bundesgenossen waren – kaum vor Einbruch der Nacht in Schußnähe sein.

Es würden jedoch noch Stunden vergehen, bis die *Paragon* wieder unter vollen Segeln lief. Seine Geduld war erschöpft.

»Mr. Fenton!«

»Sir?« Der Erste Offizier kam eiligst von der Leereling herbei.

»Wenn wir jetzt nichts unternehmen, liegen wir wahrscheinlich noch eine Stunde oder länger beigedreht. Latham tut, was er kann. Wer uns dies zugefügt hat, hat sorgfältige Arbeit geleistet.«

»Bostick?«

Kelso blickte auf das Hauptdeck hinunter, wo die Wache herumstand und dem Segelmacher und seinen Maaten bei der Arbeit zusah, die gerade fachgerecht einen Langspleiß bei einer der Brassen anbrachten. Abseits jedoch stand der blonde Riese, den Blick noch immer auf die Kimm gerichtet.

»Bostick? Vielleicht. Ich weiß es nicht.«

»Er muß es gewesen sein, Sir. Mit allem Respekt, Sir, sollten wir ihn nicht lieber in Eisen legen?«

Kelso rückte unsicher hin und her. Die Sache war ihm unbehaglich. »Das ist noch nicht nötig, er hat schließlich keinen Widerstand geleistet, und auf einen bloßen Verdacht hin kann ich ihn nicht einsperren.«

War das ein Zeichen von Schwäche? Von Gefühlsduselei? Viele Kapitäne hätten es bestimmt als solche angesehen.

Ohne den Segeldruck wälzte sich die *Paragon* in der mäßigen See von einer Seite auf die andere und wieder zurück, bis selbst Kelso, der wirklich seefest war, Übelkeit aufsteigen fühlte. Das Ächzen des Holzes und das Schlagen der Blöcke trugen noch erheblich dazu bei.

»Wir schleppen!« Plötzlich war er zu diesem Entschluß gekommen. »Lassen Sie das Langboot und meine Gig aussetzen, Mr. Fenton.«

»Sir?« Fenton schien am Ernst dieser Worte zu zweifeln.

»Es wird wenig genug bringen, das gebe ich zu, aber immerhin werden wir uns vorwärtsbewegen. Wer weiß, was eine Meile oder auch eine halbe bei Tagesanbruch ausmachen!«

Flucht war wichtig. Er wollte keinesfalls Lamont und seine Piratenfreunde zum Schatz der *Marie Galante* führen, aber seine Aussichten waren im Augenblick nicht sehr günstig. Wenn die *Mouette* und die Gallivaten während der Dunkelheit beidrehten oder wenigstens Segel kürzten, wenn Latham die Großbrassen und die Großschoten in der nächsten Stunde fertigbekam, wenn alle Segel wieder gesetzt werden konnten, bevor es hell wurde, dann bestand vielleicht eine Chance. Morgens bei Hellwerden konnte eine zusätzliche Meile den Unterschied zwischen Sicherheit oder Entdecktwerden bedeuten.

»Die Boote aussetzen!« rief Fenton. »Langbootsbesatzung klar, Mr. Larkins!«

»Sir?«

»Und eine Besatzung für die Kommandantengig, wenn ich bitten darf – und Schleppleinen.«

Kelso stand an der Reling und sah zu, wie die Bootsdavits ausgeschwungen wurden.

»Boote zu Wasser! Fier weg!«

Als wolle die *Paragon* ihren Unwillen zeigen, daß sie ohne Segel war, tauchte sie launenhaft besonders tief in einige aufeinanderfolgende Wellentäler und sandte einen Schleier von Spritzern bis zum Achterdeck. Die verfolgenden Schiffe waren von der Reling aus noch immer nicht zu sehen.

»Bostick!« schrie Kelso, einem Impuls gehorchend. »Sie gehen zu Mr. Archibald in die Gig.«

Er sah zu, wie der Riese sich von der Reling abstieß, an der er gestanden hatte, und seine mächtigen Schultern zur Pforte hin in Bewegung setzte. Seine Kräfte würden beim Schleppen der gewichtigen Fregatte von unschätzbarem Wert sein, aber Kelso war klar, daß er nicht nur aus diesem Grund den Befehl erteilt hatte. Bei Dunkelheit und in der Nähe der feindlichen Schiffe konnte er es sich nicht leisten, einen möglichen Saboteur und Verräter frei herumlaufen zu lassen.

Zu seiner Enttäuschung funktionierte das Aussetzen der Boote sehr schlecht.

Das Langboot wurde zuerst zu Wasser gelassen. Der Bootsmann und acht Ruderer saßen darin. Sie hockten deprimiert auf den Duchten, als mache ihnen die veränderte Bewegung des Bootes, das Spritzwasser auf ihren erhitzten Körpern und vor allem die trübe Aussicht auf die bevorstehende Knochenarbeit schwer zu schaffen. Nur schwerfällig reagierten sie auf die Kommandos aus dem Heck des Bootes.

»Lebhaft da vorn! Setzt ab mit euren Riemen!«

Als das Langboot endlich zu Wasser und die Schleppleine belegt war, wurde die Gig ausgeschwungen.

Diesmal ging das Manöver fast zu einfach. Die Seeleute an den Taljen fierten das Boot rasch zu Wasser, wobei Bostick in anscheinendem Übereifer sofort loswarf, als erst der Vorsteven der Gig die Wasserfläche berührte. Sie wäre gekentert, wenn McCluskey, der zweite Mann im Boot, nicht die Ruhe bewahrt hätte.

»Passen Sie auf, Bostick – um Gottes willen!« Archibalds Protestruf klang schrill übers Wasser.

Die Schleppleine wurde belegt, acht Mann legten sich in die Riemen.

»Lebhaft, Mr. Archibald!« schrie Fenton, als auch die Gig zu schleppen begann.

»Aye, aye, Sir.«

Der Fähnrich war verwirrt durch das ungewöhnliche Manöver – Schleppen gehörte nicht zur Ausbildung – und durch die Ungeschicklichkeit seiner Bootscrew. Bostick und McCluskey, beides Riesen, schienen entschlossen zu zeigen, wer von ihnen der Stärkere war. Die Gig schor unter der anderen Schleppleine hindurch, die dicht über den Köpfen der Männer steifkam und Wasser auf sie herabsprühte, dann hielt sie auf das Langboot zu und schien entschlossen, dieses zu rammen.

»Auf Riemen!« befahl Archibald.

Nur McCluskey befolgte das Kommando. Die Gig beschrieb einen vollen Bogen und hätte das Langboot mitschiffs getroffen, wenn nicht die Leute der Backbordseite sie mit ihren Riemen abgehalten hätten.

»Was ist da unten los?« schrie Fenton. »Mr. Archibald, ist das die rechte Art, ein Boot zu steuern?«

»Tut mir leid, Sir.« Der Fähnrich steckte die Rüge ein, obwohl er sein Kommando richtig gegeben hatte. Sein Ton jedoch wurde schärfer, als er die Gig jetzt auf Position brachte.

Es dauerte weitere fünf Minuten, die Schleppleine wieder festzumachen, hauptsächlich durch Bosticks Ungeschick. Der bärtige Riese schien willig, ja sogar eifrig, aber seine Reaktionen waren entweder zu langsam oder zu heftig, so daß der arme Archibald nur mit Mühe sein Ziel erreichte. Er war bereits heiser vom vielen Schreien.

»Vollzugsmeldung!« rief Fenton von der Back.

»Fertig, Sir!« meldete Larkins.

»Fertig, Sir!« wiederholte Archibald.

Fenton hob die Hand. »Ruder an!«

Die mühevolle und anstrengende Arbeit begann.

Um ein Gewicht von siebenhundert Tonnen durch das Wasser zu bewegen – auch wenn es sich um die schnittige Form einer Fregatte handelte –, bedurfte es gehöriger Anstrengung und Geschicklichkeit. Auf das Kommando »*Ruder an*!« tauchten die zehn muskulösen Seeleute ihre Riemen ins Wasser, und dann legten sie sich mit aller Kraft hinein. Aber es geschah nichts. Erst nach einer ganzen Weile ausdauernden Pullens bewegte sich das Schiff um ein oder zwei Fuß, was alle ein wenig ermutigte. Erneut legten sie sich mit Gewalt in die Riemen, damit dieses Bewegungsmoment nicht wieder zum Stillstand kam. Genau im Gleichtakt tauchten sie die Riemen ein und zogen sie mühsam durchs Wasser. Wieder und immer wieder, bis zur totalen Erschöpfung.

Dabei waren die Bedingungen alles andere als günstig. Der kleinste Fetzen Leinwand hätte bei achterlichem Wind ihre Bemühungen unterstützen, ja sogar weit übertreffen können. Leider stand die Windrichtung für sie ungünstig, und der Druck auf Rumpf und Takelage genügte, die Schleppleine aus dem Wasser schnellen und ein Gegenmoment entstehen zu lassen, das sie nur schwer überwinden konnten.

Derselbe Wind warf eine See auf, die, obgleich nicht mehr als mäßig, das Rudern doch erheblich erschwerte. Einen Augenblick riß die gesamte Bootscrew noch mit vor Anstrengung roten Gesichtern an den Riemen, im nächsten rollten entweder die Steuerbord- oder die Backbordruderer wild durcheinander, während ihre Riemen nicht ins Wasser eintauchten, sondern widerstandslos die Oberfläche kratzten oder gar nur durch die Luft fuhren. Natürlich lief nun das Boot aus dem Ruder, die Schleppleine sackte durch, und die ohnehin geringe Fahrt ging verloren. Wenn dann nach einiger Zeit die Ordnung wiederhergestellt war, gab Craig, der inzwischen Fenton abgelöst hatte, von der Back aus erneut das Kommando zum Anrudern.

Der Fortschritt war mühsam und schwer errungen, aber doch stetig, wenn auch sehr langsam. Allmählich gewöhnten sich die Bootsbesatzungen an den Seegang und kamen ein wenig besser und zügiger voran. Ungeheurer Kraftaufwand gehörte dazu, die *Paragon* auch nur ein paar Fuß weit zu schleppen, aber wenigstens bewegte sie sich vorwärts und wälzte sich nicht mehr hilflos auf der Stelle, während die feindliche Fregatte und die sie begleitenden Gallivaten zum konzentrischen Angriff heranschlossen.

Fenton, der nach achtern gegangen war, um dem Kommandanten Bericht zu erstatten, bezweifelte die Zweckmäßigkeit des Manövers, aber er konnte nicht umhin anzuerkennen, daß die Bewegungen gleichmäßiger und ruhiger waren. Die Fahrt durchs Wasser war deutlich zu erkennen, wenn sie auch nur sehr, sehr gering war.

»An Deck! Segel an Backbord achteraus!«

Kelso blickte zum Vortopp hinauf, wo der Ausguck, kaum noch sichtbar gegen den jetzt wolkenverhangenen Himmel, den Horizont absuchte.

»Was können Sie ausmachen?«

»Eine Fregatte, Sir – scheint dieselbe zu sein, die ich schon vorher gesichtet habe.«

Das war möglich. Durch die Bewölkungszunahme und die nahende Dämmerung hatte die Sichtweite stark abgenommen und betrug nur noch ein paar Meilen.

In einer weiteren halben Stunde konnte sie also in Schußweite sein!

Und noch immer mühte sich die *Paragon* ruckweise vorwärts. In zehn Minuten schaffte sie keine halbe Meile.

»Sonst noch etwas in Sicht?«

»Nein, Sir, nur die eine, und sie wird rasch undeutlicher.«

Einen Grund zur Dankbarkeit hatten sie immerhin. Wenn das ein paar Stunden früher passiert wäre, gäbe es kein Entrinnen im Schutz der Nacht.

»Recht so, Mr. Heslop«, bekräftigte Kelso, und ohne ein Wort der Erklärung an Fenton zu richten, lief er die Schanztreppe hinunter und über das Hauptdeck nach vorn.

Obgleich er sich zur Ruhe zwang, kochte er innerlich vor Wut. Das Gelingen seines ganzen Planes war gefährdet durch den Verrat eines Mannes, und der Gedanke war fast unerträglich, daß Bostick – denn er mußte es gewesen sein – voraussichtlich der Kompanie einen Verlust von einer Viertelmillion Pfund verursachen würde.

Außerdem hatte er nicht nur den Erfolg der Mission aufs Spiel gesetzt, sondern auch die *Paragon* selbst und ihre gesamte Besatzung in Gefahr gebracht. Wenn die Schiffe der Piraten beim Morgengrauen noch immer in Sicht waren, würde es nicht ohne Blutvergießen abgehen.

»Wie weit, Mr. Latham?« Er war selbst vom ruhigen Klang seiner Stimme überrascht, aber den alten Segelmacher konnte er nicht täuschen.

»Noch zehn Minuten oder eine Viertelstunde, Sir. Die Brassen sind fertig, die Schoten auch gleich. Bei Sonnenuntergang stehen die Groß-, Mars- und Bramsegel, Sir.«

»Gut!« Kelso nickte ihm zu und ging weiter auf die Back zu Craig, der am Klüverbaum stand.

Hier stützte er sich auf die Reling und blickte hinunter auf die dunkle See mit ihren unruhigen, schaumbedeckten Wellen, wo die beiden Bootsbesatzungen noch immer ihren ungleichen Kampf gegen das Gewicht des Schiffes und gegen die Unbilden der Elemente führten.

»Hauruck! Hauruck! Hauruck!« Die Stimme des Bootsmannes hielt sie in Bewegung. Rein-raus, rein-raus, die Riemen tauchten ins Wasser, die Männer zogen mit ihrem ganzen Körpergewicht, und die *Paragon* gab unwillig dem Zug der Schleppleinen ein winziges Stückchen nach.

Kelso stellte eine einfache Rechnung auf: Es würde zehn Minuten dauern, die Schlepptrossen einzuholen und die Boote einzusetzen, weitere zehn Minunten, die Großsegel zu setzen.

»Aufhören!« rief er hinunter. »Mr. Larkins, bringen Sie die Boote längsseits, und kommen Sie an Bord.«

»Aye, aye, Sir.« In des Bootsmannes Stimme war eine deutliche Erleichterung zu spüren.

Die Schlepptrossen wurden losgeworfen und an Bord eingeholt, Langboot und Gig kamen längsseits. Es war schon fast dunkel. Eine schwarze Wolkenschicht hatte sich vor die untergehende Sonne geschoben, in spätestens zehn Minuten würde völlige Finsternis herrschen. Kelso hoffte, die Boote noch bei Helligkeit einsetzen zu können.

»An die Davits!« befahl er.

Die Taljen wurden weggefiert, die Fangleine klargehalten.

»Lebhaft, lebhaft!« rief der Bootsmann im Langboot. Er war genauso darauf bedacht wie sein Kommandant, die Boote noch mit dem letzten Tageslicht binnenbords zu bekommen.

»Klar zum Aufheißen, Sir!«

In diesem Augenblick schien Bostick den Verstand zu verlieren. Später wurde noch viel darüber diskutiert, sowohl vor als auch hinter dem Mast. Völlig überrascht, wußten weder die Besatzung des Langbootes noch die Leute oben an der Reling zu sagen, ob Bostick auf Grund eines falsch verstandenen Befehls, aus bloßer Verrücktheit oder, wie einige annahmen, weil er entschlossen war, seine Kameraden zu ertränken, plötzlich wie wild zu rudern begann. Das Klatschen der eingenommenen Riemen der Langbootcrew sowie ihre Seufzer der Erleichterung waren kaum verklungen, niemand achtete auf etwas anderes als die mit dem Anschlagen der Taljen, dem Festmachen der Fangleine zusammenhängenden Arbeiten.

Dann begann ein vielstimmiges, wütendes Geschrei.

»Vorsicht, Bostick! Bist du verrückt?«

Die Gig traf das Langboot mittschiffs mit solcher Wucht, daß die Besatzung durcheinanderfiel. Um das Unglück vollzumachen, waren die Taljen noch nicht angeschlagen, und durch das Gewicht der acht Männer, die alle auf die andere Seite flüchteten, kenterte das Boot.

»Lotsenleiter zu Wasser!« Kelso wählte drei gute Schwimmer aus: »Padstow, Ackroyd, Jones – hinunter mit euch, stellt sicher, daß keiner ertrinkt!«

Die Verwirrung im Wasser, wo ein halbes Dutzend Männer um das kieloben treibende Boot strampelte, war unbeschreiblich. Einige suchten verzweifelt nach einem Halt, andere zappelten oder schrien um Hilfe, während die Schwimmer ihnen zuriefen, sie sollten aushalten. Kelso widerstand nur mit Mühe der Versuchung, hinunterzuspringen, wodurch er zweifellos nur zur Erhöhung des Durcheinanders beigetragen hätte.

Padstow, ein ausgezeichneter Schwimmer, war bereits im Wasser. Im herrschenden Halbdunkel sah man, daß er einen der Männer, anscheinend einen Nichtschwimmer, im Griff hatte. Erst sehr viel später erinnerte sich Kelso daran, daß er auch den Blondschopf Bosticks im Wasser gesehen hatte, der ebenfalls Nichtschwimmer zum Boot schleppte.

Es dauerte nahezu eine volle Stunde, bis das Boot wieder aufgerichtet und schließlich an Bord geholt worden war. Keiner fehlte, nur ein kräftiger Schotte namens Macdonald hatte eine Gehirnerschütterung erlitten. Als die Leute endlich mühsam das Seefallreep heraufgekrochen und völlig erschöpft an Bord gesunken waren, hatten sich ihnen hilfreiche Hände entgegengestreckt und sie unter Deck gebracht. Der letzte, der an Bord kam, war Bostick.

Kelso war jetzt entschlossen zu handeln.

»Mr. Tregowan!« rief er.

Der Hauptmann der Marineinfanteristen kam eilends herbei und salutierte. »Sir?«

»Verhaften Sie diesen Mann.«

13

Als alle Segel am Großmast wieder gesetzt und geschotet waren, nahm die *Paragon* rasch Fahrt auf. Wenn sie auch trotz des rauhen Windes zunächst nur zwei bis drei Knoten schaffte, war es doch ein herrliches Gefühl, das stetige Steigen und Fallen zu spüren und das Geräusch zu hören, mit dem sie den Bug in die aufschäumende See warf.

Nach einer weiteren Stunde waren auch Breitfock und Fockmarssegel gesetzt. Mit fünf Rahsegeln machte sie schon gute Fahrt, und als sie schließlich gegen Morgen unter vollen Segeln wieder ihre acht bis neun Knoten lief, ging Kelso endlich auf Fentons Drängen nach unten.

»Lassen Sie mich rufen, sobald etwas geschieht.«

»Aye, aye, Sir.«

»Wer dieses Tauwerk gekappt hat, dürfte noch weitere Schweinereien im Schilde führen.«

»Es war Bostick, Sir – er muß es gewesen sein –, und der ist jetzt in sicherem Gewahrsam.«

Kelso nickte und ging weiter zum Niedergang. Die Bewölkung des Nachmittags war in der jetzt frischeren Brise verflogen, der Himmel sternenklar.

Als er erwachte, bewegte sich die *Paragon* ruhig in einer leicht bewegten See. Er hörte den Wind in der Takelage und das wundervolle Geräusch des vorbeizischenden Wassers, fühlte das gleichmäßige Auf und Ab des Decks.

Auf dem Kompaß über seinem Kopf sah er, daß der alte Kurs wieder anlag, der Wind mußte also während der Nacht gedreht haben. Ihr Glück schien zurückgekehrt zu sein.

»Bist du glücklich?«

Er merkte, daß er lächelte und daß Irina, die eben noch zu schlafen schien, ihn beobachtete.

»Ja, weil alles wieder klappt. In ein paar Tagen können wir schon auf dem Heimweg sein, wenn unsere Glückssträhne anhält.«

Er legte ihr die Hand auf die nackte Schulter, und mit einer liebkosenden Bewegung führte sie diese zu ihrer Brust.

»Ich bin glücklich, weil du glücklich bist.«

»Ich werde noch glücklicher sein«, sagte er, »wenn wir auch beim Hellwerden einen leeren Seeraum vorfinden.«

»Du meinst, diese Schiffe gestern abend haben nach uns gesucht?«

»Möglich. Sie waren bei dem diffusen Licht nur schwer auszumachen. Die Fregatte jedoch könnte die *Mouette* gewesen sein.«

»Und die anderen?«

»Gallivaten, höchstwahrscheinlich Angrianer.«

»Konnten sie uns in der Dunkelheit denn folgen?«

»Ich hoffe nicht. Aber Lamont – wenn er es ist – läßt an Einfallsreichtum nichts zu wünschen übrig. Das Dumme ist, daß wir manövrierunfähig waren. Die Verzögerung hat ihnen geholfen. Es hängt jetzt viel davon ab, ob sie das Risiko eingingen, während der Dunkelheit unter vollen Segeln zu bleiben. Wir selbst hatten keine andere Möglichkeit, als nach Beendigung der Reparatur den Kurs beizubehalten, in der Hoffnung, während der Nacht aus ihrer Sichtweite zu kommen.«

»Und wenn sie noch da sind?«

»Dann werden wir kämpfen.«

Diese Aussicht schien sie nicht weiter zu beunruhigen. Mit einer Bestimmtheit, die im Gegensatz zu ihrer sonstigen Bescheidenheit und Scheu stand, schlang sie ihm die Arme um den Hals und zog ihn an sich. Die Weichheit ihres Körpers, die Glätte ihrer Haut waren für ihn immer wieder eine Quelle des Entzückens. Obwohl er noch vor einer Minute vorgehabt hatte, an Deck zu gehen, gab er nun ohne Zögern ihrem Drängen nach.

Sie hielt ihn leidenschaftlich umschlungen, den Kopf zurückgebeugt, die Augen halb geschlossen, und ihr dunkles Haar lag auf dem Kissen ausgebreitet.

Als die Erfüllung vorbei war, betrachtete er liebevoll ihr kindliches Gesicht, die gerade Nase, die vertrauensvollen Augen, und küßte sie zärtlich.

»Bete zu Gott, daß es nicht zum Kampf kommt«, sagte er. »Ich kann den Gedanken nicht ertragen, daß du möglicherweise verletzt wirst.«

»Mir geschieht nichts, so lange ich bei dir bin«, flüsterte sie zuversichtlich.

Es war noch dunkel, als er schließlich an Deck ging. Fenton, der Wache hatte, grüßte, kam aber nicht zu ihm auf die Luvseite herüber.

Einen Augenblick lang blieb Kelso an der Reling stehen und füllte seine Lungen mit frischer Luft. Dann blickte er in die Dunkelheit hinaus. Mindestens eine Stunde noch bis zur Morgendämmerung.

»Mr. Fenton!«

»Sir?«

Der Erste Offizier kam herüber und schloß sich ihm an auf seinem Weg über das Achterdeck, vor und wieder zurück, wie er es wohl schon hundertmal gemacht hatte. Heslop, der Quartermaster, stand am Ruder.

»Wind kommt jetzt von Steuerbord querab, Sir«, sagte Fenton. »Wir machen bestimmt acht Knoten.«

Kelso nickte und wandte sein Gesicht anerkennend der Brise zu. »Wenn es so bleibt, sind wir morgen bei den Amiranten.«

»Und am Tage danach auf dem Rückweg nach Bombay?«

»Hoffentlich. Bei dem drohenden Krieg mit Frankreich können wir uns keine lange Abwesenheit erlauben.«

Die *Paragon* zog unbeirrt durch die mäßig bewegte See, das rhythmische Steigen und Fallen des Decks beflügelte oder bremste ihre Schritte. Ein barfüßiger Schiffsjunge kam die Treppe zum Achterdeck herauf, um die Kompaßlampe zu trimmen.

»Was werden Sie mit Bostick machen, Sir?« fragte Fenton.

»Ich weiß noch nicht. Ich habe so ein Gefühl, als hätte ich etwas voreilig gehandelt.«

»Er hat die Signale gegeben, das steht fest. Gestern abend haben wir die Folgen seines Verrates gesehen.«

Kelso antwortete nicht sofort, sondern blickte angelegentlich über die dunkle Meeresfläche. Dann schüttelte er den Kopf und sagte: »Sind wir dessen sicher? Er war zwar vorn auf der Back, aber allem Anschein nach schlief er fest.«

»Vorzügliche Schauspielkunst, Sir.«

»Vielleicht. Aber wenn er es nicht war, wenn er wirklich schlief, dann muß jemand anderer die Signale gegeben haben.«

»Und das zerschnittene Tauwerk, Sir? Sollte auch das jemand anderer gewesen sein?«

»Ich weiß nicht. Es gehörte vor allem kühle Überlegung dazu, denn selbst bei Dunkelheit hätte der Betreffende leicht ertappt werden können.« Er machte eine Pause, stützte sich mit beiden Händen auf die Reling und blickte angestrengt nach Osten. Die ersten schwachen Lichtstreifen zeigten sich dort am Horizont.

»Was mich beunruhigt«, fuhr er fort, »ist die Tatsache, daß er neu ist. Alle anderen sind schon eine ganze Weile an Bord, die meisten bereits mehrere Reisen lang. Wir kennen sie. Ist es nicht möglich, daß wir einfach deswegen gegen Bostick voreingenommen sind, weil er ein Fremder ist?«

»Ich glaube nicht, Sir.« Für Fenton bestand keinerlei Zweifel. »Seine unklare Vergangenheit, die Lügen, die er erzählt hat, um auf die *Paragon* zu kommen, dies alles macht ihn nicht gerade vertrauenswürdig. Und dann sein Verhalten gestern abend. Niemand kann mir einreden, das sei nicht Absicht gewesen!«

»Ich hoffe, Sie haben recht«, sagte Kelso. »Auf alle Fälle wird es bald hell werden. Dann gibt es genügend andere Dinge, um die wir uns Sorgen machen müssen.«

Verglichen mit dem Sonnenuntergang, der sich meistens in kurzer, leuchtender Farbenpracht vollzog, war der Sonnenaufgang bescheiden. Die Dämmerung zog herauf mit blassen Streifen in Grau, Gelb oder Rosa, und es dauerte eine volle Stunde, bis der ganze Himmel gefärbt war. Die Sicht kam ebenfalls zögernd und wurde in diesen Breiten normalerweise von Morgennebel beeinträchtigt. Während Kelso wartete, konnte er kaum seine Ungeduld verbergen, als die Dunkelheit zwar verblaßte, aber nur, um von Frühdunst abgelöst zu werden. Selbst als es an Deck schon völlig hell war, konnte man noch keine halbe Meile weit sehen.

»Mr. Winston!« rief er den Fähnrich der Wache. »Sie entern auf und melden mir, was Sie sehen.«

Voller Neid sah er zu, wie der Fähnrich die Wanten hinaufflitzte, die überhängenden Püttings überquerte und oben im Vortopp ankam. Von dort, siebzig Fuß über Deck, betrug die Sichtweite bei klarem Wetter bis zu fünfzehn Seemeilen.

Aber nicht an diesem Morgen. Winston wischte sein Glas aus, richtete es auf den Horizont und rief dann nach unten: »Es tut mir leid, Sir, zuviel Nebel. Von Deck aus konnte ich weiter sehen.«

»Bleiben Sie oben«, befahl Kelso. »Passen Sie auf, wenn der Nebel sich verzieht.«

Es war eine seltsame, bedrückende Situation. Die *Paragon* kam zügig voran mit schäumender Bugsee, die Segel prall gefüllt von der günstigen Backstagsbrise, und die Wache wusch das Deck: Alles schien normal und friedlich, und doch – jenseits des alles verhüllenden Nebels konnte der Feind verborgen sein.

»An Deck!« Der schrille Ruf kam aus dem Vortopp. »Ich glaube, ich sehe etwas. Drei Mastspitzen ragen aus dem Dunst. Jetzt kann ich Rahen und Bramsegel ausmachen.«

»Welche Richtung?«

»Recht achteraus, Sir.«

»Noch etwas?«

»Nein, Sir. Ich glaube, es ist die Fregatte, die wir gestern abend in Sicht hatten.«

Die *Mouette!* Kelso wandte sich ab, um seinen Ärger zu verbergen. Wenn Lamont hier war, konnten seine angrianischen Bundesgenossen ebenfalls nicht weit sein. Und das alles, weil seine Navigation nicht gestimmt, weil irgendjemand – Bostick? – dem Feind Signale gegeben, das Tauwerk angeschnitten hatte. Das würde die Bergung des Schatzes erheblich erschweren, und, was fast noch schlimmer war, Zeit kosten!

Er nahm sich zusammen und rief in einigermaßen ruhigem Ton: »Mr. Fenton!«

»Sir?«

»Es ist klar, daß wir verfolgt werden. Achteraus steht eine Fregatte, wahrscheinlich die *Mouette,* und die anderen sind bestimmt auch in der Nähe.«

»Aye, aye, Sir.«

»Lassen Sie gefechtsklar machen.«

Die Trommeln ertönten, die Freiwache rannte verschlafen an Deck. Der Bootsmann rief und schwang seinen Stock, wenn Nachzügler auftauchten. Die Toppsgasten enterten auf, gewandt wie die Affen. Das Deck, das einen Augenblick vorher noch gewaschen worden war, wurde mit Sand bestreut. Trennwände wurden niedergelegt, auch die in der Offiziersmesse. Craig, der Artillerieoffizier, lief von einer Kanone zur anderen und überwachte das Laden. Die Geschützbedienungen rammten Munition und Pulver in die Rohre, rollten die geladenen Kanonen zu den Stückpforten und fuhren sie aus. Die Marineinfanteristen bezogen ihre Posten an den Niedergangsluken.

»Padstow!« rief Kelso.

»Hier, Sir.« Sein Steward kam die Schanztreppe heraufgepoltert, ein fröhliches Grinsen im Gesicht. Außer dem Bedienen seines Kommandanten und dem gelegentlichen Trinken eines Gläschens Rum gab es für ihn nur noch eine Freude: kämpfen.

»Gehen Sie unter Deck, und sehen Sie nach, ob bei dem Mädchen alles in Ordnung ist. Sagen Sie ihr, daß mit Kampfhandlungen zu rechnen ist und sie sich am besten in der Messe aufhält.«

»Aye, aye, Sir.« Padstows Stimme ließ erkennen, was er von diesem Auftrag hielt.

»Mr. Tregowan!«

»Sir?«

»Lassen Sie den Gefangenen frei.«

»Unter Bewachung, Sir?«

»Nein, ohne. Er kann nicht flüchten. Ich möchte nicht, daß er während des Gefechts eingeschlossen ist.«

Wurde er weichherzig? Er selbst hatte unter Kommandanten gedient, die einen Gefangenen lieber ertrinken ließen als Mitleid zu zeigen.

Der Nebel hob sich wie ein Tuch, das beiseitegezogen wird und das Gemälde dahinter enthüllt. Einen Augenblick vorher war die Sicht kaum einen Steinwurf weit, im nächsten war es klar bis zum Horizont.

»An Deck! Ich sehe die Fregatte jetzt ganz, Sir, und bei ihr sind drei Gallivaten, alles recht achteraus.«

Es hatte so rasch aufgeklart, daß die Schiffe nun auch von Deck aus zu sehen waren. Sie fuhren fast in Kiellinie, vorn die Fregatte, dicht gefolgt von den etwas gestaffelten Gallivaten, wie Hyänen beim Verfolgen einer Beute. Es war ihm klar, daß sie sich sofort zurückziehen würden, wenn er kehrtmachte, um ihnen die Stirn zu bieten.

»Hart Steuerbord!« rief er. »Steuerbordgeschütze klar zum Feuern!«

»An die Backbordbrassen!« Die Rahen flogen herum, bis sie dem neuen Kurs entsprechend angebrasst waren, die Geschützbedienungen hockten bei ihren Kanonen, die Geschützführer warteten mit brennender Lunte. Die *Paragon* holte stark über, ihr Drehkreis war so klein, daß die Verfolger, obwohl sie jetzt die Luvposition hatten, völlig überrascht waren. Eben schien die *Paragon* noch mindestens eine Viertelmeile voraus zu sein, im nächsten Augenblick war sie mitten zwischen ihnen, die Geschütze in Schußweite.

»Klar zum Feuern, Mr. Craig!«

Die *Paragon* lag noch immer stark über, während der Rudergänger Heslop sich bemühte, sie dicht am Wind zu halten. Er war von Natur aus ein vorsichtiger Mann, kannte aber seinen Kommandanten zur Genüge, um zu wissen, daß dieser jedes Risiko einging, das er für notwendig hielt. An Bord der *Paragon* war er seit deren

Indienststellung vor zwei Jahren und wußte bei jedem Segelmanöver genau, wie sie sich verhalten würde.

Mit einer Schlagseite von fünfzig Grad, die Leepforten fast an der Wasserlinie, so schoß sie jetzt auf die verfolgende Fregatte zu.

Es war die *Mouette,* durch sein Glas konnte Kelso jetzt deutlich den Namen ausmachen.

»*Feuer!*«

Die Steuerbordgeschütze donnerten gleichzeitig los, und die *Mouette* erbebte unter der Wucht der einschlagenden Salve. Ein gezacktes Loch erschien in ihrer Bordwand eben über der Wasserlinie, eine Kugel hatte also dort eingeschlagen, während andere über das Deck gefegt waren. Die Schreie der Verwundeten waren selbst über den Gefechtslärm hinweg zu hören.

»Klar zum Wenden!« schrie Kelso.

So plötzlich hatte es aufgeklart und so rasch war die Reaktion der *Paragon* erfolgt, daß man auf der *Mouette* völlig überrascht war. Obgleich Lamont, eine untersetzte, bärtige Gestalt in französischer Marineuniform, auf dem Achterdeck zu erkennen war, hatte man offensichtlich keinerlei Vorsorge gegen einen Angriff getroffen. Jetzt erst, in all dem herrschenden Durcheinander, wurden die Geschütze ausgefahren.

»Sir!«

Aufgeregt schrie es Archibald Kelso ins Ohr. Er deutete nach Backbord, wo über der Reling das Lateinersegel einer der Gallivaten sichtbar wurde, die genau auf Kollisionskurs lag.

»Kurs beibehalten!« befahl Kelso dem Rudergänger. Er hatte schon früher mit angrianischen Gallivaten gekämpft und wußte, daß sie einzeln kein ernstzunehmender Gegner für ein Schiff von der Größe der *Paragon* waren. Es überraschte ihn, daß der Kapitän willens schien, sein Fahrzeug zu riskieren, nur um einem der verhaßten Europäer zu helfen. Offensichtlich legte Tulagee Angria viel Wert auf diese Allianz.

»Sir!« Der arme Heslop warf seinem Kommandanten einen verzweifelten Blick zu, in der Hoffnung auf einen Gegenbefehl.

»Recht so!«

Die *Paragon* hatte ihre Drehung beendet, sich aufgerichtet und nahm rasch Fahrt auf. Die Gallivate war jetzt keinen Steinwurf entfernt.

»Sir!« Ein letzter Notruf des Quartermasters, dann prallten die beiden Vorsteven mit fürchterlicher Gewalt aufeinander. Kelso wurde von der Wucht des Aufpralls über das Achterdeck geschleudert und der Bug der *Paragon* beiseite gedrückt. Man hörte Knirschen und Splittern von Holz, ein Teil des vorderen Schanzkleides fiel über Bord. Aber die Gallivate legte sich auf die Seite und begann zu sinken.

»Hart Steuerbord!« schrie Kelso wütend, da er die Chance für einen weiteren Angriff auf die *Mouette* schwinden sah.

»Feuer frei, Mr. Craig!«

Er erwartete die entsprechenden Befehle, aber Craig, dieser Perfektionist, wartete eine volle Minute, bis die *Paragon* sich wieder aufgerichtet hatte.

»*Feuer!*«

Lediglich die Heckgeschütze konnten noch das Ziel erfassen, aber sie schossen so genau, daß jeder Schuß traf. Die Besatzung der *Mouette*, noch immer in Verwirrung durch die erste Breitseite, schien jetzt in Panik zu geraten. Ein Treffer hatte die Fockbramrahe zerschmettert, und obwohl das zerfetzte Segel wild schlug und die gesamte Stenge von oben zu kommen drohte, schien keinerlei Befehl zum Kappen der Bruchstücke ergangen zu sein. Als der Qualm sich verzogen hatte, sah Kelso die Leute an Deck durcheinanderlaufen, hörte wilde Kommandos, Schreie und Verwünschungen. Alle schienen jetzt damit beschäftigt, die Geschütze auszufahren. Um die Verwundeten und um die Fockbramrahe kümmerte sich anscheinend niemand.

»Klar zum Wenden!« kommandierte Kelso.

»An die Brassen!« rief Fenton.

»Auswischen! Nachladen!« befahl Craig.

Die *Paragon* ging mit einer Geschwindigkeit und Exaktheit über Stag, wie sie nur durch lange und sorgfältige Ausbildung ermöglicht wird. Die Männer verrichteten ihre Arbeiten an Brassen und Schoten mit Stolz, die Schiffsjungen schrien vor Eifer und Begeisterung, wenn sie mit neuer Munition herbeiflitzten. Die Geschützbedienungen wischten die Rohre aus und rammten dann neue Ladungen hinein. Noch einmal kamen die Heckkanone und die Schwenkgeschütze des Achterdecks zum Einsatz, als die *Mouette* ebenfalls über Stag ging.

»Sie haut ab«, bemerkte Fenton.

»Die Gallivaten auch«, fügte Archibald hinzu.

Kelso sagte nichts. Gern hätte er dem Gegner noch einige vernichtende Schläge versetzt, wenn auch der Hauptzweck erreicht war: die verfolgenden Schiffe hatten sich zurückgezogen. Allerdings würde sich erst später zeigen, ob sie die Verfolgung tatsächlich aufgegeben hatten.

Die *Mouette,* behindert durch die Wrackteile ihres Fockmasts, drehte nur schwerfällig durch den Wind. Sie lag noch nicht ganz auf dem neuen Kurs, als die *Paragon* von achtern aufkam. Lamont war sich wohl doch der Gefahr, die durch die Wrackteile drohte, bewußt, denn man sah Leute mit Äxten im Fockmast aufentern, während sich die anderen um die Geschütze drängten.

»Sehen Sie dort vorn, Sir«, rief Archibald. »Bestimmt wird sie nicht beidrehen!«

Voraus war die Wasseroberfläche übersät mit Leichen und Verwundeten, andere klammerten sich an Wrackteile und riefen um Hilfe.

Wenn die Überlebenden der gesunkenen Gallivate jedoch gehofft hatten, von ihren Verbündeten aufgenommen zu werden, so sahen sie sich getäuscht. Ohne auch nur im geringsten auszuweichen, behielt die *Mouette* ihren Kurs bei, als führe sie durch ein Feld von schwimmenden Korken. Als die *Paragon* Minuten später folgte, war das Wasser rot von Blut.

Erstaunlicherweise verringerte sich der Abstand zwischen den beiden Schiffen keineswegs, sondern schien sich sogar zu vergrößern, und das trotz des zerfetzten Fockbramsegels. Die *Paragon* konnte ihre Geschütze nicht mehr zum Einsatz bringen.

Die beiden übriggebliebenen Gallivaten waren bereits in sicherem Abstand, eine an Backbord, die andere an Steuerbord. Kelso kam sich vor wie ein Tier, das von Aasfressern verfolgt wurde. Wenn er kehrtmachte, um anzugreifen, zogen sie sich zurück, wenn er jedoch seinen Weg fortsetzte, folgten sie wieder, wenn auch in sicherem Abstand.

»Klar zum Wenden!« befahl er. »Mr. Craig, Steuerbordgeschütze klar zum Feuern.«

Die *Paragon* ging über Stag, der Abstand vergrößerte sich noch mehr, aber einen Augenblick bot die *Mouette* ihr ungeschütztes Heck der Steuerbord-Breitseite dar. Wiederum machte sich die gute Ausbildung bezahlt. Genau im richtigen Augenblick erfolgte Craigs Kommando, und die Breitseite donnerte gleichzeitig heraus. Die *Mouette* wurde von Wassersäulen überschüttet, ein Treffer jedoch riß die Heckreling ab und hinterließ eine tiefe Narbe auf dem Achterdeck.

Als die *Paragon* schließlich wieder mit achterlichem Wind auf Kurs lag, blickte Kelso noch einmal mit Bedauern zurück auf die bereits weit entfernten Schiffe. Unter normalen Verhältnissen hätte er sie alle drei verfolgt und vernichtet, aber da sie unter Zeitdruck waren, mußte er ihrer Flucht tatenlos zusehen.

»Wir geben die Verfolgung auf, Sir?« fragte Archibald.

»Uns bleibt keine andere Wahl.«

»Wenigstens haben sie eine Kostprobe erhalten, Sir. Und wenn sie uns weiterhin folgen wollen, verlieren sie mindestens eine volle Stunde, um diese armen Teufel im Wasser aufzunehmen.«

Kelso sagte nichts dazu.

14

Die Verfolgung hielt den ganzen Tag über an. Die *Mouette* fuhr hinter der *Paragon* her, wenn auch in gebührendem Abstand und außer Reichweite der Heckgeschütze.

Kelso hatte nicht die Absicht, das Angriffsmanöver zu wiederholen. Es war ihm klar, daß Lamont nicht kämpfen, sondern lediglich Fühlung halten wollte. Sein Abstand war auch stets groß genug, um bei einer erneuten Wendung der *Paragon* rechtzeitig entkommen zu können.

Zu Kelsos Überraschung war eine Gallivate zurückgeblieben, um die Überlebenden aufzunehmen, und bald außer Sicht gekommen. Die andere versuchte, mit der *Mouette* Schritt zu halten, sackte aber immer mehr achteraus. Am Nachmittag war sie kaum noch zu sehen.

Der Tag war wolkenlos gewesen, die Decks waren so heiß, daß das Pech aus den Nähten quoll. Selbst die Seeleute, deren Hände und Fußsohlen bereits dicke Hornhaut trugen, traten vorsichtig auf und berührten Metall nur dann, wenn sie vorher in die Hände gespuckt hatten.

Kelso stand auf dem Achterdeck und schien von der Hitze nichts zu spüren. Als Padstow mit einer Tasse kochend heißen Kaffees zu ihm trat, nahm er diesen geistesabwesend, hätte aber die Tasse nach dem ersten Schluck beinahe fallengelassen.

»Verdammt!« Er drückte sie dem Steward in die Hand und griff sich an die verbrannten Lippen. »Haben wir denn keinen Limonensaft?«

»Verzeihung, Sir, Sie haben doch gesagt, der soll nur für die junge Dame bleiben.«

Kelso nickte. Er erinnerte sich jetzt. Das Wasser in den Fässern wurde schon grün, und er hatte angeordnet, daß Irina zusätzlich seine eigene Ration bekommen sollte.

»Macht nichts, ich bin nicht durstig.«

»Verzeihung, Sir, aber da ist noch Grog.«

»Nein, lassen Sie.« Er hoffte, Irina, die auf dem Oberdeck im Schatten saß, hatte die Unterhaltung nicht gehört, denn sonst würde sie darauf bestehen, daß er seine Ration selbst trank.

Fenton jedoch schien Zeuge der Szene gewesen zu sein, denn kaum war Padstow verschwunden, als er sagte: »Wir füllen die Fässer morgen mit Frischwasser, Sir?«

»Ja, wenn wir die richtige Insel gleich finden.« Kelso zeigte nach achtern. »Und wenn wir die da abgeschüttelt haben.«

Fenton blickte zur *Mouette* zurück, von der nur die obersten Segel zu sehen waren.

»Sie halten unsere Geschwindigkeit, Sir, das ist klar, und morgen sind wir bei den Amiranten.«

»Da ist noch immer die Nacht dazwischen.«

»Sie meinen, daß wir sie in der Dunkelheit abschütteln können?«

»Wir versuchen es.«

Kelso wandte sich verärgert ab. Einmal war er durch seine eigene Unachtsamkeit zu dicht an den Seychellen vorbeigesegelt, zum anderen klebten die Verfolger mit einer Zähigkeit an seinen Fersen, die ihn rasend machte. Außerdem wurmte ihn zutiefst, daß ausgerechnet ein Frog es in der Geschwindigkeit mit seiner *Paragon* aufnehmen konnte, einem der schnellsten Schiffe der gesamten Flotte.

Tregowan, der Hauptmann der Marineinfanteristen, stand salutierend vor ihm.

»Was ist los?«

»Bostick, Sir, der Gefangene. Er beklagt sich über die unerträgliche Hitze im Orlopdeck.«

»Daß ich nicht lache! Sollen wir ihm kalte Umschläge machen?«

Tregowan räusperte sich. »Mit Respekt, Sir, es ist wirklich sehr heiß dort unten.«

»Hier auch, unter der Back ist die Hitze sicher noch größer. Außerdem braucht er ja nicht zu arbeiten.«

Noch während Kelso dies aussprach, war ihm klar, daß es ungerecht war und sein Ärger anderen Gründen entsprang, zum Beispiel seinem eigenen navigatorischen Fehler. Die Arrestzelle im Orlopdeck war ohne jede Luftzufuhr schon in gemäßigtem Klima unangenehm. Hier in den Tropen konnte der Aufenthalt darum wirklich unerträglich werden. Es war der reine Hohn, daß dieses unterste Deck nicht nur der Aufenthaltsort der auf Bestrafung wartenden Missetäter war, sondern daß auch der Schiffsarzt, seine Gehilfen und die Verwundeten dort untergebracht wurden. Im Augenblick hatte es allerdings nur einen einzigen Bewohner: Bostick.

»Gut, Mr. Tregowan, lassen Sie den Gefangenen an Deck kommen, aber nur bis Sonnenuntergang. Danach bringen Sie ihn wieder in die Arrestzelle.«

»Danke, Sir.«

Später sah Kelso den blonden Hünen am Großmast stehen. Er blinzelte ein wenig im grellen Sonnenlicht, dann blickte er nach achtern, wo Irina mit einer Näharbeit unter dem kleinen, für sie angefertigten Sonnensegel saß. Von dort wanderte sein Blick zu Kelso auf dem Achterdeck. Täuschte er sich, oder war es möglich, daß die Augen über der aggressiven Nase Dankbarkeit zeigten?

Gegen abend flaute es ab, und die Gallivate, die schon hinter dem Horizont verschwunden war, tauchte wieder auf, bald darauf gefolgt von ihrem Schwesterschiff. Durchs Glas sah Kelso die geblähten, leichten Lateinersegel. Wenn er die Verfolger nicht während der Nacht abschütteln konnte, würden sie morgen zu viert bei den Amiranten ankern.

Bei Sonnenuntergang ging er nach unten und legte sich auf die Koje. Padstow brachte zwei Pützen Seewasser und nahm Kelsos verschwitztes Hemd mit.

Als er sich in der kleinen, unbequemen Sitzbadewanne Wasser über Kopf und Schultern goß, trat Irina ein. Sie reichte ihm das Handtuch, mit dem er sich kräftig frottierte.

Es war schön, das Blut wieder durch die Adern fließen zu fühlen; mit ihm durchströmte ihn neue Energie. Nach der Hitze des Tages fühlte er sich angenehm erfrischt.

»Gib mir mein Hemd, bitte.«

Sie nahm es von seiner Seekiste, wo sie es, frisch gewaschen, geflickt und neu gefaltet, bereitgelegt hatte.

Obgleich seine Gedanken bei der *Mouette* und den Gallivaten weilten, spürte er doch, daß sie ein Wort der Anerkennung zu erwarten schien. Er mochte sie viel zu gern, um ihr ein verdientes Lob vorzuenthalten.

»Was ist dies?« fragte er und hielt das Hemd so, daß das Licht darauf fiel. »Ist das meins?«

»Ja, Master.«

Er untersuchte es kritisch, fuhr mit dem Finger über die fast unsichtbar ausgebesserten Stellen. »Aber es ist neu oder wenigstens so gut wie neu. Ich hatte doch nur ein einziges neues Hemd.«

»Es ist deins.« Ihr Gesicht strahlte, als er mit seiner Untersuchung fortfuhr.

»Hast du es gewaschen und geflickt?«

»Ja.«

Er schüttelte bewundernd den Kopf. »Es ist wirklich fast neu.«

Sie lief zu ihm und umschlang ihn mit den Armen. »Ich würde alles für dich tun – alles.«

Er drückte sie an sich und küßte sie sanft auf die Stirn.

»Master!« Sie wollte ihn nicht loslassen. Einen Augenblick lang fühlte er sich irritiert, eingedenk der langen Nacht mit ihren Problemen, die vor ihm lag.

Dann, als sie sich weiter an ihn klammerte, gab er nach. Wie hätte er auch grob sein können zu einem so liebevollen Kind? Er legte ihr die Hände auf die Schultern und schob sie sanft von sich.

»Master!« Sie blickte ihn bittend an, die Arme noch immer um seine nackten Hüften geschlungen.

»Ich muß jetzt an Deck.«

»Noch nicht. Du bist den ganzen Tag oben gewesen. Zuerst mußt du ausruhen.« Als er noch zögerte, preßte sie ihren Körper enger gegen den seinen.

Später lag sie in seinen Armen und lauschte dem Wind in der Takelage, dem Ächzen und Knarren des Holzes. Sie hörten, daß Fenton Befehl zum Segelkürzen gab, und spürten gleich darauf die sanfteren Bewegungen des Schiffes. Unter diesen günstigen Bedingungen – ruhige See und Backstagsbrise – würde die *Paragon* die Nacht über gut sechs Knoten laufen.

Es war stockfinster, als Kelso wieder an Deck kam, der Himmel sternenklar und der Mond noch nicht aufgegangen. Er blickte in die Dunkelheit hinaus, sah aber nichts außer dem phosphoreszierenden Kielwasser.

»Ich hielt es für besser, keine Lichter zu setzen, Sir«, sagte Fenton, der seine Gedanken zu erraten schien. »Es ist wenig wahrscheinlich, daß wir hier andere Schiffe treffen.«

»Und wenn, dann bestimmt keine freundlichen«, fügte Kelso hinzu, ergriff Fenton am Arm und zog ihn mit sich zur Luvreling, wo sie der Fähnrich der Wache und der Rudergänger nicht hören konnten.

»Wir werden gleich Kurs ändern«, flüsterte er. »Wir wollen Lamont und seine Angrianer noch vor Helligkeit abschütteln.«

»Sie rechnen damit, daß sie während der Dunkelheit an uns vorbeilaufen?«

»Wir wollen es zumindest versuchen. Der Mond ist noch nicht aufgegangen, und wenn wir vor den Wind drehen, könnten wir genügend weit ablaufen, bevor sie es merken, zumal wir keine Lichter gesetzt haben. Vor morgen früh werden sie kaum dahinterkommen.«

»Das müßte eigentlich gelingen, Sir«, entgegnete Fenton. »Ich werde sofort anordnen, daß die Pforten geschlossen werden und keinerlei Licht gezeigt wird.«

»Und lassen Sie bitte alle Segel setzen.«

Während Kelso am Kompaß stand, enterte die Wache auf, um die Bramsegel auszuschütteln. Sein Blick folgte den dunklen Gestalten, die wie ein Insektenschwarm aussahen, bis zu den Marsrahen, dann wurden sie undeutlich und verschwanden. Er selbst hatte das rasche, atemberaubende Aufentern über die Webeleinen immer gehaßt, schon als junger Kadett, besonders das herzbeklemmende Umklettern der Püttingswanten, mit dem Rücken nach unten, und das in schwindelnder Höhe! Dann das Auslegen auf der Rah, auf den wild schwankenden Fußpferden, die Hände in das harte, dicke Segeltuch gekrallt, um es unter Kontrolle zu bringen, das sich aber unter dem Winddruck immer wieder aufbäumte. Das alles war bei Tageslicht schon schlimm genug, nachts jedoch wurde es zum Alptraum. Diese Männer, einige doppelt so alt wie er, taten es ohne zu zögern, ohne auch nur einen Augenblick an die Gefahr zu denken. Er bewunderte ihren Mut.

»Alle Segel gesetzt, Sir!«

Kelso bemerkte den Anflug von Stolz in Fentons Stimme. »Sehr gut! Sie werden doch noch eine richtige Crew aus ihnen machen!«

Dann blickte er achteraus, konnte jedoch außer dem langen Streifen des Kielwassers nichts weiter ausmachen. Wenn Lamont nicht ebenfalls Vollzeug setzte, mußte es der *Paragon* eigentlich gelingen, sich von den Verfolgern zu lösen.

Er wartete zehn Minuten und befahl dann dem Rudergänger: »Abfallen!«

Die Wache brasste die Rahen vierkant, die *Paragon* drehte vor den Wind und lief nun auf dem neuen Kurs in die Dunkelheit hinein.

Kelsos ganze Aufmerksamkeit konzentrierte sich jetzt auf den in absolutem Dunkel liegenden Steuerbordsektor, wo sich eine der beiden Gallivaten auf Kollisionskurs nähern mußte. Er schätzte ihre eigene Fahrt auf neun bis zehn Knoten und konnte somit den Treffpunkt einigermaßen berechnen. Nach seiner Schätzung mußten sie ihn ein paar Minuten vor der Gallivate passieren. Sollte seine Kalkulation nicht stimmen, dann würde es möglicherweise zur Kollision kommen oder zumindest die Kursänderung der *Paragon* vorzeitig entdeckt werden.

»Wie lange noch, Sir?« fragte Fenton, der langsam nervös wurde.

Kelso antwortete nicht. Als jedoch einer der Leute an Deck laut lachte, rief er wütend: »Mr. Larkins! Können Sie diese Leute nicht unter Kontrolle halten?«

Die *Paragon* lief mit hoher Fahrt weiter, tauchte den Bug ein, schüttelte sich und hob ihn wieder hoch empor, wobei ein feiner Sprühregen über das Achterdeck fegte, wenn nunmehr das Heck eintauchte.

»Da ist sie!«

Kelso blickte in die Richtung, die Fenton anzeigte, und sah einen schwachen Lichtschimmer, sowie die mehr zu ahnenden Umrisse eines Lateinersegels achteraus, keine halbe Meile entfernt. Soviel er erkennen konnte, lag die Gallivate noch auf dem alten Kurs.

»Sie hat uns verfehlt«, flüsterte Fenton.

»Ich hoffe es. Eine ganze Menge hängt von der Aufmerksamkeit ihres Ausgucks ab.« Kelso blickte noch immer nach achtern.

»Sie sehen uns nicht bei dieser Dunkelheit.«

»Wir haben sie aber gesehen.«

»Ja, ihre Lichter, Sir. Da wir aber keine . . .«

»Seien Sie dessen nicht so sicher!« Kelso ergriff ihn am Arm und zeigte über die Reling.

Dort unten war ein Licht zu sehen, eine Lampe, die in einer geöffneten Stückpforte rhythmisch hin und her schwang.

15

Kelso war bereits über das Achterdeck und die Treppe hinuntergehastet, bevor Fenton seinen Satz zu Ende gesprochen hatte. Im Laufen rief er dem Fähnrich der Wache zu: »Mr. Winston, folgen Sie mir!« Er stieß die Tür zur Messe auf.

»Mr. Tregowan!«

»Sir?« Der arme Tregowan ließ sein Kartenspiel auf den Tisch fallen.

»Sie auch, Archibald und Craig.«

Die Aufgerufenen hangelten sich an den festgeschraubten Sesseln entlang und eilten zur Tür.

»Ein Licht ist in einer der Steuerbordpforten gezeigt worden!«

»Aber, Sir ...« Archibald, der die Wache unter Deck hatte, fühlte sich verantwortlich. »Ich habe die letzte Runde vor höchstens zehn Minuten gemacht, zusammen mit Larkins. Alles war in Ordnung.«

»Sie sind durch das ganze Schiff gegangen?«

»Ja, Sir, gemäß Ihrem Befehl. Alle Stückpforten waren geschlossen. Die einzigen Lampen waren die Notbeleuchtungen in kardanischer Aufhängung. Wenn nicht eine von denen herausgenommen worden ist ...«

»Sie waren im Logis unter der Back?«

»Ja, Sir.«

»Im Orlopdeck?«

Archibald zögerte. »Nein, Sir. Ich dachte ...«

»Mich interessiert nicht, was Sie dachten. Sie sind also *nicht* überall gewesen!«

Es war ihm klar, daß sein Vorwurf unfair war, denn das Orlopdeck lag unter der Wasserlinie, hatte also keine Pforten. Andererseits sollte bei einer vollständigen Runde jedes Deck begangen werden, auch das unterste. Er wollte auf alle Fälle wissen, ob Bostick dort in seiner Zelle war.

»Jemand hat Signal gegeben«, sagte er, »hat eine Lampe in einer offenen Pforte hin und her geschwenkt. Ich will, daß dieser Mann gefaßt wird. Sie, Archibald und Craig, nehmen die Steuerbord-, Tregowan und Winston die Backbordseite. Und, meine Herren: Jeder Zoll in jedem Deck wird sorgfältig untersucht, jede offene Luke, jede Last. Jemand in diesem Schiff ist Verräter, und er muß gefunden werden.«

»Aye, aye, Sir.«

Sie begannen paarweise ihre Suche, die einen auf der Steuerbord-, die anderen auf der Backbordseite. Craig hielt noch einmal an und fragte: »Wenn wir fertig sind, Sir, wo finden wir Sie dann?«

»Im Orlopdeck.«

Er ging rasch in seine Kajüte und holte seinen Degen. Der Verräter war vermutlich zum äußersten entschlossen, denn er wußte, daß auf seine Tat Todesstrafe stand. Bevor er von der Rahnock baumelte, würde er kämpfen.

Trotz seiner Ungeduld bewegte sich Kelso ruhig und leise, so lange er in seiner Kajüte war, um Irina nicht zu wecken. Sie sah im

Schlaf noch kindlicher und schutzbedürftiger aus als sonst. Ihre Augen waren fest geschlossen, die Lippen halb geöffnet, und das schwarze Haar bedeckte das Kissen. Ihr Atem ging ruhig und regelmäßig.

Draußen auf dem halbdunklen Gang hörte er streitende Stimmen – Craigs und Archibalds, dazu eine dritte, tiefere. Hatten sie den Schuldigen bereits? Er würde es früh genug erfahren, erst einmal setzte er seinen Weg fort.

Durch die Mittschiffsluke stieg er den Niedergang hinab ins Zwischendeck, wo er eine flüchtige Suche zwischen Munitionsstapeln, Pulverfässern, Segeltuch und Tauwerk sowie den Salzfleisch- und Wasserfässern vornahm. Für jedes Besatzungsmitglied, das ohne Genehmigung eines Offiziers hier angetroffen wurde, bedeutete das schwere Bestrafung, unter erschwerenden Umständen sogar Auspeitschen. Er erwartete auch nicht, hier jemanden zu finden.

Durch eine weitere Luke stieg er ins Orlopdeck hinunter.

Unten stand er einen Augenblick abwartend still. Zuerst hörte er nichts außer den üblichen Schiffsgeräuschen, dann aber drang ein anderer Ton an sein Ohr, das tiefe, ruhige Atmen eines schlafenden Mannes. Außer den hin und hertaumelnden Schatten, die die einzige, vom Decksbalken hängende Lampe warf, nahm er keine Bewegung wahr, wenn man von den allgegenwärtigen Ratten absah. Vom Posten war nichts zu sehen.

Kelso nahm die Lampe vom Haken und hielt sie hoch. Den Degen fest in der anderen Hand, ging er leise zur Arrestzelle.

Dieser kleine Raum war durch Trennwände vom Orlopdeck abgeschottet. Auf der *Paragon* wurde er selten benutzt.

Das schnarchende Geräusch wurde lauter, je näher er kam. Er wunderte sich über die Lautstärke, denn die Wände hätten den Lärm, auch wenn ein Riese wie Bostick ihn verursachte, dämpfen müssen. Dann sah er des Rätsels Lösung: Die Tür stand offen!

Bostick lag auf dem Rücken, die Augen geschlossen, den Mund leicht geöffnet. Eine Ratte machte – durch das Licht gestört – Männchen auf seiner nackten Brust.

»Bostick!«

Beim Klang der Stimme sprang die Ratte entsetzt herunter und verschwand in einer Ecke. Bostick jedoch schnarchte weiter.

»Aufwachen!« Kelso, Lampe und Degen in Händen, trat ihm in die Seite.

Bostick erwachte zögernd, das Schnarchen wurde unregelmäßig

und hörte dann ganz auf, er schlug die Augen auf, blinzelte und schloß sie wieder.

»Aufstehen!« Kelso, dem nicht nach Höflichkeitsfloskeln zumute war, trat ihm gegen das Bein.

Jetzt wurde Bostick vollends wach. Er setzte sich auf, verwirrt durch das Licht und die ungewohnte Umgebung, und starrte Kelso an.

»Seit wann sind Sie hier?«

»Sir?« Offensichtlich noch halb im Schlaf, mühte sich Bostick aufzustehen. »Seit Sonnenuntergang, Sir. Vorher war ich mit Ihrer Erlaubnis an Deck.«

Machte er sich über den Kommandanten lustig? Sein Gesichtsausdruck war durch den üppigen Bart völlig verdeckt.

»Sie sind nicht außerhalb der Zelle gewesen?«

»Nein, Sir.« Bostick wirkte noch immer verwirrt. »Verzeihung, Sir, wieviel Uhr ist es?«

Kelso wandte sich ärgerlich um, als er jemanden die Leiter herunterkommen hörte. Er erkannte die schlanke Figur des Hauptmanns der Marineinfanterie.

»Mr. Tregowan! Wo steckt Ihr Posten?«

»Sir?« Tregowan blinzelte im Laternenlicht.

»Wo ist Ihr Posten?«

»Er . . . Ich weiß nicht, Sir. Er sollte hier sein.«

»Wer ist auf Wache?«

»Ich weiß nicht, Sir. Ich werde den Serganten fragen.«

»Dann tun Sie das, sofort! Und bringen Sie den Posten zu mir.«

Kelso wandte dem unglücklichen Tregowan den Rücken und begegnete dem belustigten Blick des Gefangenen. Ohne irgendeinen Beweis würde der blone Hüne wohl frei ausgehen.

Wütend stieg er die Leiter hinauf.

»Sir!« Der junge Winston hätte ihn in der Dunkelheit beinahe umgerannt. »Entschuldigung, Sir.«

»Nun?« Mühsam unterdrückte er seinen Ärger.

»Mr. Tregowan schickt mich, Sir, zur Meldung.«

»Dann melden Sie.«

»Wir haben die ganze Backbordseite sorgfältig abgesucht, Sir, einschließlich aller Luken und Lasten. Mit Mr. Larkins zusammen haben wir auch das Mannschaftslogis unter der Back inspiziert und niemanden gefunden. Außer Mr. Latham, der gerade an Deck wollte, um Luft zu schnappen, und Ledbridge in seiner Kombüse haben wir niemanden gesehen, der nicht an seinem Platz war.«

Latham war – gemessen am Standard der seefahrenden Leute – ein alter Mann und gern für sich allein. Jeden Abend unternahm er seinen einsamen Spaziergang an Deck. Ledbridge war der Schiffskoch.

Kelso wandte sich bereits ab, hielt aber plötzlich noch einmal an. »Was tat Ledbridge in der Kombüse?«

»Er bereitete das Abendessen für die Mannschaft, Sir.«

»Jetzt, um diese Zeit? Sie hatten doch längst ihr Abendessen.«

»Ja, Sir, daran habe ich nicht gedacht.«

»Fragen Sie ihn, was er dort gemacht hat.«

»Aye, aye, Sir.«

Als der verwirrte Junge die Treppe hinaufflitzte, begegnete er Archibald und Craig, die nach unten stiegen. Sie gingen zu Kelso und salutierten.

»Nun?«

»Nichts, Sir, es tut mir leid.« Archibald war schuldbewußt. All das hatte sich schließlich während seiner Wache unter Deck ereignet.

»Sie haben niemanden gefunden?«

»Nein, Sir.«

»Außer . . .« Craig zögerte und blickte Archibald an.

»Ja?«

»Wir sahen Crane.«

»Wo?«

»Zwischen der Messe und Ihrer Kajüte, Sir.«

»Mit einer Laterne?«

»Nein, Sir.«

»Haben Sie ihn nicht gefragt, was er dort suchte?«

»Ja, Sir. Er sagte, er wolle an Deck.«

Kelso empfand Mitleid mit Crane, dem Signalfähnrich, der an Liebeskummer litt, und verfolgte die Angelegenheit nicht weiter. Vom Achterdeck aus hatte er ihn Dutzende von Malen beobachtet, wie er Irina mit schmachtenden Blicken anstarrte. Bisher hatte er aber noch nicht den Mut gefunden, sich ihr zu nähern oder sie auch nur anzusprechen. Seine Anwesenheit in der Nähe der Kommandantenkajüte entsprang wahrscheinlich lediglich dem Wunsch, ihr nahe zu sein.

»*Gut*«, sagte Kelso. »Wir haben alles getan, was wir heute nacht tun können. Ob der Verräter Erfolg hatte werden wir morgen früh sehen.«

Als er zum Achterdeck zurückkam, lief die *Paragon* noch immer vorm Wind. Im Licht des inzwischen aufgegangenen Mondes sah er die prall gefüllte Pyramide der Segel von den Bramsegeln bis zum Außenklüver. Der Bug tauchte geradezu arrogant in die See und schwang sich dann wieder, das Wasser abschüttelnd, gen Himmel. Trotz des Mondlichts war die Sicht sehr beschränkt, aber ein Schiff, das Lichter führte, hätte man trotzdem auf mindestens eine Meile Entfernung gesehen. Es war beruhigend festzustellen, daß sich die *Paragon* allein befand.

»Sir!« Winston rannte über das Achterdeck und blieb salutierend vor ihm stehen.

»Nun?«

»Ich habe Ledbridge gefragt, Sir. Es war nicht das Abendessen, das er zubereitete, sondern das Mannschaftsfrühstück.«

»Gut. Er konnte sich auch wirklich nicht den Koch, einen sturen Nordengländer, als Verräter vorstellen.

Jetzt stieg noch jemand die Schanztreppe zum Achterdeck hinauf; Kelso erkannte Tregowans schlaksige Gestalt. Der Hauptmann wirkte bedrückt.

»Na, was ist?«

»Ich habe den Posten gefunden, Sir.«

»Wer ist es?«

»Radley, Sir. Ich habe ihn mitgebracht.«

Kelso sah ihn jetzt, eine rundliche Gestalt in der roten Uniform mit den weißen Brustriemen der Marineinfanterie. Er stand, offensichtlich völlig geknickt, am Niedergang.

»Kommen Sie her, Radley.«

Der Mann trat zögernd näher und grüßte stramm.

»Wo waren Sie vor zehn Minuten?«

»Im Logis, Sir. Ich bitte um Entschuldigung.«

»Sie hatten doch Wache?«

»Ja, Sir, aber . . .«

»Nun?«

»Verzeihung, Sir, aber ich fühlte mich nicht wohl. Ich nehme an, es war das Salzfleisch vom Abendessen. Ich suchte den Serganten auf, um ihn zu bitten, mich ablösen zu lassen.«

»Und ließen den Gefangenen unbewacht?«

»Ja, Sir, da war sonst niemand.« Er brachte es immerhin fertig, beschämt auszusehen.

»Nicht nur unbewacht, Sie haben auch die Tür offengelassen!«

»Ja, Sir. Es ist so heiß dort unten, besonders heute nacht, weil die Pforten geschlossen sind. Bostick ging es wie mir. Er fühlte sich auch nicht gut. Er bat mich um ein bißchen frische Luft.«

»Und Sie haben eingewilligt? Sie wußten doch, daß wir besondere Vorsichtsmaßnahmen getroffen hatten!«

»Nein, Sir.«

»Was?« Dann fiel ihm ein, daß Archibald ja nicht im Orlopdeck gewesen war. »Der Gefangene hätte in dieser Zeit sonstwohin gehen können.«

»Nein, Sir. Ich war nur ein paar Minuten weg.«

»Lang genug für ihn, einzuschlafen – oder uns das glauben zu lassen.«

Kelso blickte über die leere See und fühlte den Wind im Gesicht. Er war nicht wirklich ärgerlich, aber schließlich – Disziplin mußte sein.

»Gut, Radley. Ihr Fall wird morgen erledigt. Mr. Tregowan, nehmen Sie ihn fest!«

»Aye, aye, Sir.«

Er sah zu, wie der Marineinfanterist die Niedergangstreppe hinunterstieg, und fragte sich, wie ihm wohl in der Zelle zumute sein würde, die er nun mit dem Gefangenen teilen mußte, den er hatte bewachen sollen. Und Bostick? Welche Tricks mochte er noch in Reserve halten, wenn er erfuhr, daß die *Mouette* und ihre Begleiter sein Signal nicht gesehen hatten?

16

Als die Dämmerung über der azurblauen See heraufzog, mußte Kelso entdecken, daß seine Zuversicht fehl am Platz gewesen war. Statt der leeren Fläche, die er erwartet hatte, meldete der Ausguck bereits mit dem ersten Frühlicht ein Segel Backbord achteraus, und als der Dunst aufklarte, erschien die *Mouette* keine halbe Meile entfernt, und die eine der Gallivaten am Horizont. Bosticks Verrat hatte den gewünschten Erfolg gebracht.

»Land in Sicht! Land an Steuerbord voraus!«

Die Amiranten. Wenn seine Navigation stimmte, näherten sie sich der nördlichsten der Inseln, einer flachen, baumbedeckten Landzunge mit leuchtend weißen Stränden, nach Süden hin durch schroffe Klippen geschützt. Kelso war als Kadett auf der alten *Shropshire* dort einmal an Land gekommen und erinnerte sich mit Sehnsucht an die klare Quelle, in der er und seine Kameraden gebadet hatten. Diesmal würde vermutlich wenig Zeit zum Baden zur

Verfügung stehen.

»Werden Sie sofort einlaufen, Sir?« fragte Fenton. »Oder machen wir vorher noch einen Versuch, diese Schakale abzuschütteln?«

Kelso verneinte. »Sie haben uns hereingelegt, das ist klar – mit Bosticks Hilfe. Jetzt ist es zu spät.«

»Sollen wir gefechtsklar machen?«

»Nein, noch nicht. Wir müssen erst die richtige Insel finden.«

»Wir haben doch eine Skizze?«

»Das ist aber auch alles, was wir haben – und Balfours Beschreibung, die auf mindestens ein Dutzend dieser Inseln zutreffen könnte. Heute mittag werden wir noch mal eine Ortsbestimmung vornehmen. Wir können nicht weit weg sein.«

Fenton blickte achteraus auf die geblähten Segel der *Mouette*. Zweifellos wünschte er sich, daß sie bleiben und kämpfen würde, wenn die *Paragon* beidrehte.

»Wir haben einen Vorteil«, fuhr Kelso fort. »Nach Balfours Beschreibung ist die einzige Einfahrt für das Langboot eine Lücke im Riff, es bedeutet aber auch, daß die *Paragon*, wenn sie vor dieser Lücke liegt, jedes weitere Boot am Einlaufen hindern kann.«

»Eine Zeit lang, Sir. Es muß noch andere Landemöglichkeiten geben.«

»Wahrscheinlich. Auch ich kann mir nicht vorstellen, daß Lamont oder die Angrianer durch Klippen oder vorgelagerte Felsen auf die Dauer ferngehalten werden. Andererseits haben wir auf alle Fälle einen Vorsprung.«

»Der eigentlich genügen sollte, Sir, wenn Kapitän Balfour da ist, um uns zum Versteck des Schatzes zu führen.«

»Genau.« Kelso blickte unsicher zur *Mouette* hinüber, die unter vollen Segeln rasch aufschloß. »Und wenn er nicht da ist, lassen wir es auf einen Kampf ankommen.«

Sie segelten so dicht an die erste Insel heran, daß Kelso den Strand ausmachen konnte, an dem sie damals gelandet waren. Dahinter sah er die sanft ansteigenden, mit dichtem Akazien- und Rhododendrongestrüpp bedeckten Hänge. Die Insel mit ihren roten Farbspritzern von in der Sonne leuchtenden Blüten wirkte äußerst anziehend, und er konnte sich die Unterhaltung der Seeleute an der Reling vorstellen, die sehnsüchtige Blicke hinüberwarfen. Schließlich verbrachten sie ihre Freiwache zusammengepfercht im stinkenden Logis, und ihr Getränk bestand zu diesem Zeitpunkt nur noch aus einem grünlichen Schleim. Aus solcher Sehnsucht entsprang nicht selten der Keim zur Meuterei. Doch sie war vergeblich.

Die *Paragon* fuhr den größten Teil des Tages über ihren Südkurs weiter, allerdings mit gekürzten Segeln, während die Verfolger rund eine halbe Meile Abstand hielten. So ruhig war die See, daß kaum eine Bewegung zu verspüren war. Ein paar Seeleute hatten bereits Angelleinen ausgeworfen, in der Hoffnung, etwas zu fangen, und Irina saß mit ihrem Nähzeug an Deck unter ihrem Sonnensegel, eifersüchtig bewacht von Fähnrich Crane. Latham thronte mit Segelhandschuh, Nadel und Garn auf der Luke der Segelkoje, und Heslop, der gerade wachfrei war, hielt ein Schläfchen an Deck.

»Land in Sicht! Land recht voraus, Sir, eben über dem Horizont.«

Eine weitere Insel der Gruppe. Kelso malte sich aus, daß er später, wenn er zum Kämpfen zu alt war, der Kompanie vorschlagen würde, ihn mit einem ihrer Schiffe in diese Gewässer zu entsenden, um die Inseln genau zu vermessen und kartographisch aufzunehmen. Sie lagen zwar etwas westlich von der üblichen Schiffahrtsrouten, es gab aber eine Anzahl von Gründen, aus denen die Inselgruppe doch aufgesucht werden konnte: Stürme, widrige Winde, die Anwesenheit feindlicher Schiffe und ähnliche. Bis jetzt segelte jeder durch dieses Gebiet auf eigene Gefahr.

»Könnte das die Insel sein, Sir?« fragte Fenton.

»Möglich, aber ich muß mich auf Balfours Positionsangabe verlassen. Wir haben keine Zeit, jede einzelne Insel zu überprüfen.«

In der Tat wurde die Wahrscheinlichkeit, daß sie zufällig auf ihr Ziel gestoßen waren, immer größer, je näher sie kamen. Die Länge schien zu stimmen, sie brauchten nur noch die Mittagsbreite, um sicherzugehen. Inzwischen sahen sie weiße Strände, bewaldete Hänge und im Westen einen typischen Zuckerhutberg. Bisher jedoch konnten sie keinerlei Zeichen der Überlebenden der *Marie Galante* entdecken.

Die *Paragon* näherte sich der Insel von Osten her bis auf eine Viertelmeile und drehte dann, dem Küstenverlauf folgend, nach Süden ab. Ausgucksposten im Vor- und Großtopp überprüften das Land genau mit ihren Gläsern. Kelso selbst suchte vom Achterdeck aus nach der Lücke im Riff und der Lagune.

Fähnrich Winston im Vortopp sah sie als erster.

»An Deck! Ich sehe das Riff, Sir, und die Lagune.«

»Was ist dahinter?«

»Ein Sandstrand, Sir, und dann Bäume. Auch ein Bach, ich sehe seinen Wasserfall bei den Felsen, dann durchschneidet er den

Strand und mündet ins Meer.«

Das schien Balfours Insel zu sein. Von Deck hörte Kelso bereits das erwartungsvolle Gemurmel der Seeleute an der Reling. Jeder hoffte wohl, unter den ersten zu sein, die an Land kamen.

»Ist eine Lücke im Riff?«

»Ja, Sir.« Mulloy im Großtopp war eifrig darauf bedacht zu zeigen, daß auch er aufmerksam war. »Die Brandung ist an einer Stelle unterbrochen, und die See dringt dort ein. Die Strömung scheint sehr stark.«

»Ist es die richtige Insel, Sir?« fragte Fenton.

»Ich weiß noch nicht. Sieht so aus. Die Position stimmt.« Kelso hob sein Glas vor die Augen und ließ es über die Küste schweifen. »Aber wenn das wirklich unsere Insel ist, wo, zum Teufel, steckt dann Balfour?«

»Und seine Leute, Sir. Es muß doch jemand am Leben sein!«

»Hoffentlich.«

Sie sahen jetzt auch von Deck aus das Riff ganz deutlich, die weiße Brandungslinie und die Lücke, durch die die See hineinschoß.

»Vielleicht haben sie keine Möglichkeit, ein Feuer zu machen, Sir.«

»Nicht mal ein Uhrglas und trockene Zweige? Unter dieser Sonne wäre das kein Problem. Außerdem brauchen sie sich ja nur selbst zu zeigen. Gegen den hellen Sand würden wir sie bestimmt nicht übersehen.«

War es möglich, überlegte Kelso, daß es zwei Inseln in diesem Gebiet gab, beide mit Riffen, die eine Lagune umschlossen, beide mit einem Zuckerhutberg an ihrem westlichen Ende? die Mittagsbreite hatte zwar den genauen Schiffsort ergeben, der mit dem angegebenen übereinstimmte, aber seit seinem Irrtum bei den Seychellen mißtraute Kelso seiner Navigation. Die einzige Möglichkeit, die Wahrheit herauszufinden, war, an Land zu gehen.

»Lassen Sie Besan-, Fock- und Großsegel wegnehmen«, befahl er. »Mr. Heslop, zwei Strich nach Steuerbord.«

Während die Wache aufenterte, um die Segel einzurollen, drehte die *Paragon* langsam auf den neuen Kurs, diagonal zur Küste. Das Wasser war kristallklar, man sah bunte Fische neben dem Schiff schwimmen, eine Schildkröte hob den Kopf und beobachtete neugierig das vorbeitreibende Ungeheuer.

»Verzeihung, Sir«, rief Heslop mit vor Erregung zitternder Stimme, »aber wir sind verdammt dicht am Riff.«

Kelso hob bestätigend die Hand. In Wirklichkeit waren sie noch immer in tiefem Wasser, aber er hatte nicht die Absicht, mit dem Quartermaster darüber zu diskutieren. Schließlich beruhte dessen Angst nur auf seiner Sorge um die *Paragon.*

»Mr. Fenton«, rief er, »schicken Sie einen Lotgasten nach vorn, und lassen Sie klarmachen zum Ankern.«

Es war eine unnötige Vorsichtsmaßnahme, dachte er, aber schließlich wollte er kein Risiko eingehen. Andererseits mochte er keine unnötige Zeit dadurch verschwenden, daß das Langboot eine zu weite Entfernung bis zum Strand zurücklegen mußte.

Während sich die *Paragon* allmählich dem Land näherte, konnte man Gegenstände erkennen, die noch vor wenigen Minuten undeutliche Flecken gewesen waren. Sie wurden jetzt zu Bäumen, blütenbedeckten Büschen oder Felsblöcken. Bald war auch der Bach zu sehen, der ins Meer mündete. Was zuerst wie Felsbrocken ausgesehen hatte, war jetzt durch das Glas als Schildkröten zu erkennen, die sich am Strand sonnten. Der Lotgast meldete hundert Faden* Wassertiefe.

»Was ist mit Balfours Leuten, Sir?« fragte Fenton. »Sie müssen uns doch gesehen haben!«

»Außer wenn sie auf der anderen Seite der Insel sind.«

»Aber sie würden doch Ausgucksposten aufstellen, Sir.«

Fenton hatte recht. Kelso konnte sich nicht vorstellen, daß ein so erfahrener Mann wie Balfour die Annäherung eines Kompanieschiffes übersehen würde.

Der Ebbstrom hatte eingesetzt. Man sah Zweige im Wasser, einige noch voller Blüten. Eine tote Echse trieb mit dem Bauch nach oben vorbei, dann eine Spier.

»Sehen Sie das, Sir?« fragte Fenton aufgeregt. »Das muß eine Spier von der *Marie Galante* sein.«

Wahrscheinlich stimmte das. Trotz des Fehlens jeglichen Lebens an Land war Kelso jetzt überzeugt, daß dies Balfours Insel war.

»Neun Faden«, rief der Lotgast.

Die *Paragon* näherte sich rasch dem Riff.

»Fast acht.«

»Recht so!«

Trotz seiner scheinbaren Ruhe bemerkte Kelso Heslops beschwörende Blicke und fühlte sich gereizt, daß der Quartermaster sein Können unterschätzte. Allein der Kommandant hatte die unange-

* 1 Faden = 1,829 m

nehme und undankbare Aufgabe, Entscheidungen zu treffen, die sowohl die taktischen Erfordernisse als auch die Sicherheit des Schiffes berücksichtigten.

»Sieben!«

Sie kamen in immer flacheres Wasser, wo ein Korallenstock einem leichteren Fahrzeug den ganzen Kiel aufreißen und selbst ein Kriegsschiff wie die *Paragon* mit ihrer starken Teakholzbeplankung schwer beschädigen konnte.

Auf der Backbordseite schien das Wasser eine dunklere Färbung zu haben.

»Einen Strich nach Backbord!«

Schweigen herrschte an Deck, während alles auf den nächsten Ruf des Lotgasten wartete.

»Achteinhalb!«

Ein hörbarer Seufzer der Erleichterung entrang sich den Kehlen der Seeleute. Die Linie der Brecher am Riff war nicht mehr als eine Kabellänge* entfernt.

»Laß fallen Anker!«

Während die Kette durch die Klüse rasselte, enterte die Wache auf, um die Segel festzumachen. Die *Paragon* schwoite ein, mit ihrer Backbord-Breitseite einem eventuellen Feind zugewandt und in einer Entfernung von der Lagune, die das Boot mühelos zurücklegen konnte. Kelso war gespannt, was Lamont nun tun würde.

»Mr. Craig, lassen Sie die Geschütze laden und ausfahren.«

Er glaubte nicht, daß Lamont angreifen würde, bevor er noch weiter an den Schatz herangeführt worden war. Er mußte durchaus damit rechnen, daß man ihn nur auf eine falsche Spur locken wollte oder daß die *Paragon* lediglich zur Wasserergänzung geankert hatte.

»Mr. Larkins!«

»Sir?«

»Lassen Sie das Langboot zu Wasser, und teilen Sie eine Bootsbesatzung ein.«

»Aye, aye, Sir.« Der Bootsmann zögerte. »Gehen Sie selbst mit an Land, Sir?«

»Ja, Mr. Larkins, und ich nehme –«, er blickte in die erwartungsvollen Gesichter ringsum –, »Mr. Winston und Padstow mit.« Dann fügte er hinzu: »Wenn dies die richtige Insel ist, wird es noch für alle Gelegenheit geben, an Land zu kommen.«

* 1 Kabellänge = 182,9 m

17

Während unter dem rauhen Kommando des Bootsmannes das Langboot ausgesetzt wurde, richtete Kelso sein Glas auf die Insel in der Hoffnung, doch noch ein Anzeichen menschlichen Lebens zu entdecken. Aber es gab keines. Ein paar Seevögel hatten sich auf dem Strand niedergelassen und nach einer oberflächlichen Suche zwischen den Felsbrocken zur Ruhe gesetzt. Die Schildkröten nahmen noch immer friedlich ihr Sonnenbad. Wenn Balfour und seine Leute am Leben waren, dann mußten sie sich wohl gerade in einem anderen Gebiet der Insel befinden.

»Langboot ist zu Wasser, Sir«, meldete Padstow und überreichte ihm Degen und Pistole. In seinem eigenen Gürtel trug er ein großes Messer.

»Mr. Fenton«, sagte Kelso, »ich gehe an Land.« Er schnallte Degen und Pistole um und trat dann zur Relingspforte. »Sie wissen, was Sie zu tun haben?«

»Ja, Sir.«

Kelso blickte nach Backbord, wo im Abstand von einer halben Meile die *Mouette* und die beiden Gallivaten lagen.

»Ich glaube nicht, daß Sie irgendwelche Unannehmlichkeiten haben werden – noch nicht.«

»Und wenn, dann werden wir damit fertig, Sir.«

»Davon bin ich überzeugt«, bemerkte Kelso lächelnd. »Sonst würde ich nicht von Bord gehen.«

Dann saß er im Heck des Bootes und beobachtete, wie sich die kräftigen Seeleute in die Riemen legten. In ein paar Minuten würden sie die Durchfahrt im Riff erreicht haben.

Er sah diese jetzt vor sich, sah, wie der Bug in die Strömung eintauchte, hörte das Rauschen des Wassers, das in das enge Loch hineinschoß, hörte das Donnern der Brandung. Er hoffte, daß Larkins gute Leute ausgesucht hatte.

Das Boot nahm zusätzlich Fahrt auf, als es sich der Lücke näherte. Noch wurde es vom Druck der acht Riemen getrieben, doch im nächsten Augenblick tanzte es steuerlos wie ein Korken, wurde vom Strudel hin- und hergerissen. Das Wasser bildete Wirbel und Querströme, so daß selbst der erfahrenste Bootssteurer nicht Kurs halten konnte. Larkins riß an der Pinne und brüllte seine Befehle, die das Donnern des Wassers noch übertönten. So schafften es die Männer an den Riemen immer wieder, den Bug nach vorn zu richten oder das Boot von den Felsen freizuhalten. Es war eine Aufgabe, die ganze Männer erforderte.

Kelso war so beschäftigt mit seinen Problemen, daß er kaum auf die Durchfahrt achtete. Larkins war ein hervorragender Seemann und besaß sein vollstes Vertrauen.

Endlich waren sie hindurch, und vom Schiff hörte man über das Tosen der Brandung hinweg ein schwaches Hurrarufen, als das Boot in das ruhige Wasser der Lagune glitt.

Jetzt war es so einfach, wie es vorher schwierig gewesen war. Während des Ruderns sahen sie durch das klare Wasser, das von Fischen wimmelte, bis auf den Grund, der bedeckt war von roten und rosa Korallenstöcken, an denen leuchtende Seeanemonen saßen. Die Lagune war so ruhig wie ein Dorfteich, und die Brise wehte Blütenduft vom Land herüber.

Auf des Bootsmanns Kommando: *Auf Riemen!* nahmen die Seeleute die Riemen waagrecht, und das Boot glitt ruhig durch das flache Wasser auf den Strand. Padstow sprang an Land und hielt den Bug stetig, während die Leute die Riemen einnahmen.

Kelsos erster Eindruck, als er an Land stieg, war die blendende Weiße des Sandes. Er mußte die Augen schließen, während sich die Seeleute bereits den Hang hinaufarbeiteten.

Sobald sie festen Grund unter den Füßen hatten, rannten sie lachend und jubelnd weiter zu dem kristallklaren Bach. Larkins, der zwischen Disziplin und Durst hin- und hingerissen wurde, warf einen fragenden Blick auf seinen Kommandanten. Als dieser ihm jedoch keine Aufmerksamkeit schenkte, lief er schließlich ein wenig zögernd den Leuten zum Bachufer nach. Lediglich Winston stand noch beim Kommandanten.

Als Kelso ihn bemerkte, fragte er lächelnd: »Was ist, Mr. Winston, haben Sie keinen Durst?«

»Nein, Sir, wenigstens . . .«

»Laufen Sie los«, ermunterte ihn Kelso. »Ich komme gleich.«

Noch immer konnte er sich Balfours Abwesenheit nicht erklären. Wenn dies die richtige Insel war – und er war sich dessen ziemlich sicher –, wo steckte dann Balfour und die anderen Überlebenden der *Marie Galante?*

»Sir! Dort ist etwas.«

Winston, der sich seinem Rang entsprechend etwas würdevoller vorwärtsbewegte als die übrigen Besatzungsmitglieder, hielt oben auf dem Rand der Böschung inne. Kelso beschattete seine Augen und stieg zu ihm hinauf.

»Hier, Sir.« Winstons Gesichtsausdruck war todernst.

Im Schatten der Bäume lag eine Reihe von Gräbern.

Sie sahen fünf rechteckige Erdhügel mit sauberen Kanten, und über jedem erhob sich ein Holzkreuz. Das mittlere Kreuz trug die Inschrift: Andrew Balfour, Kapitän, 30. Juli 1755.

Also war Balfour tot und mindestens vier Leute seiner Besatzung ebenfalls. Er war vier Tage nach dem Aussenden des Bootes gestorben.

»Deswegen haben sie kein Signal gesetzt, Sir«, sagte Winston. »Sie sind alle tot.«

»Nicht alle«, erwiderte Kelso, »wenigstens nicht hier. Nach meiner Rechnung müssen noch fünf weitere auf der Insel sein, tot oder lebendig.«

Der Bach, den sie schon von Bord aus gesehen hatten und der in Balfours Beschreibung eine Rolle spielte, teilte den Strand in zwei Hälften. Er war viel tiefer, als sie vermutet hatten. Padstow, der Witzbold des Mannschaftslogis, stand bis zum Hals im Wasser, während seine Kameraden Steine in seine Nähe warfen, so daß er mit Spritzern überschüttet wurde. Irgendjemand hatte früher einmal eine Behelfsbrücke aus Baumstämmen über das Flüßchen gebaut, die auf Felsblöcken verkeilt waren. Die Breite des Baches betrug immerhin drei Baumstämme.

Winston kniete am Bachufer nieder, schöpfte Wasser mit der hohlen Hand und trank es mit sichtlichem Wohlbehagen. Er trocknete gerade seinen Mund mit dem Ärmel, als Kelso ihn rief.

»Mr. Winston!«

»Sir?«

»Ihre Augen sind besser als meine. Was ist das dort drüben?«

Ein paar hundert Schritte entfernt sahen sie auf der anderen Seite des Flusses eine Art Lichtung am Waldrand, und darin einen braunen Fleck, der sich deutlich vom Grün der Bäume abhob. Einige tote Zweige schienen eine Art Dach zu bilden.

»Es ist eine Schutzhütte, Sir, wenn ich mich nicht täusche. Sie muß von den Leuten der *Marie Galante* errichtet worden sein.«

»Lassen Sie uns nachschauen.«

Mit einiger Schwierigkeit überquerte Kelso den Fluß, naß bis zu den Knien, gefolgt von Winston, der kaum seine Ungeduld zügeln konnte. Zusammen stiegen sie die Uferböschung hinauf zur Lichtung.

Schon bei der Annäherung spürten sie den vertrauten, süßlichen Geruch des Todes. In Bombay, wo die Armen in den Straßengräben schliefen und starben, gab es in den Außenbezirken kaum ein Gebiet, wo dieser Geruch nicht zu verspüren war, gemischt mit dem Duft von Blumen. Obwohl sie auf einiges gefaßt waren, als sie sich nun der Behelfshütte näherten, waren sie doch nicht vorbereitet auf den grauenhaften Anblick der im Schatten des Dachgeflechtes sitzenden oder liegenden Leichen.

Es waren im ganzen fünf, einige in Hemd und Hose der Ostindischen Kompanie, andere nackt bis auf einen Lendenschurz. Sie waren alle schon im fortgeschrittenen Zustand der Verwesung.

»Arme Teufel!«

Kelsos mitleidiger Gesichtsausdruck verschwand, als er Winston sah, der mit grünem Gesicht zu den Büschen gerannt war und sich dort erbrach.

Er selbst mußte sich dazu zwingen, die Hütte zu betreten und die wenigen Habseligkeiten der Leute zu durchsuchen. Er war sich nicht ganz klar darüber, was er suchte: vielleicht eine Botschaft, irgendeine Erklärung dieser Tragödie. Balfours Bericht hatte ganz klar zum Ausdruck gebracht, daß sie zwar alle Annehmlichkeiten auf der Insel entbehrten, aber doch Möglichkeiten zum Überleben besaßen.

Es waren erschütternd wenige Habseligkeiten, die Kelso untersuchen konnte: ein paar zerrissene Hemden, eine Flasche, ein Kompaß, einige Behelfstassen und Gefäße, aus Palmenholz gebastelt, und ein halbfertiges Schiffsmodell – die *Marie Galante?*

»Bitte um Entschuldigung, Sir, ich fürchte, mir war schlecht geworden.« Winston war zurückgekehrt, noch immer grün im Gesicht, blieb aber gut zehn Schritte vor der Hütte stehen.

»Sie bleiben am besten draußen«, sagte Kelso. »Wir brauchen dies ja nicht beide auszuhalten.«

In einer Ecke lagen Essensreste, eine Handvoll Beeren, jetzt eingetrocknet, und der verweste Kadaver eines Leguans. Ein paar Palmenblätter, verwelkt und braun, hatten offenbar als Teller gedient.

»Was ist dies, Sir?« Trotz seiner Übelkeit war Winston eifrig bemüht zu helfen.

»Was?«

»Hier, Sir, gegen den Pfeiler geklemmt.«

Es dauerte eine Weile, bis er es in diesem Gemisch von Hell und Dunkel sah, und selbst dann schien es zunächst nichts anderes als ein Fetzen Papier, das vielleicht benutzt worden war, um störendes Licht abzuschirmen oder um den Stützpfeiler festzukeilen. Erst als er es öffnete und ausbreitete, sah er, was es war. Sie hatten Kapitän

Balfours letzte Botschaft entdeckt.

»An alle, die es angeht«, begann das Schreiben. »In meiner vorigen Mitteilung hatte ich die Hoffnung ausgesprochen, daß wir überleben könnten, aber sie hat sich als trügerisch erwiesen.
Aller anderen Lebensmittel beraubt, versuchte der Rest meiner wackeren Leute und ich selbst, von Beeren und dem Fleisch der Echsen zu leben, von denen es hier wimmelt.
Zuerst schien uns diese Kost, so eintönig und oft widerlich sie auch war, zu genügen; aber mit der Zeit merkten wir, daß entweder die Beeren oder die Echsen für die menschliche Ernährung ungeeignet schienen, denn drei meiner Leute wurden krank und starben.
Heute bin ich nun selbst erkrankt und spüre, daß ich nicht mehr lange am Leben bleiben werde. Leider sind auch meine restlichen Leute, die so viel Mut und Geduld bewiesen, krank, und ich fürchte, daß auch sie sterben werden.
Darum habe ich gebeten, am Strand nahe der Stelle, wo der Bach aus den Bäumen tritt, begraben zu werden. Ich bin der Meinung, daß dies berechtigt ist, denn der Bach war ein Segen und unsere Rettung. Wie oft haben wir darin gebadet, unsere von der mitleidlosen Sonne gemarterten Körper erfrischt. Wie oft haben wir nach der anstrengenden Nahrungsuche auf den steilen Hängen der Schlucht oder im dunklen Wald in dem kühlen Wasser des Teiches neue Kraft und neuen Mut geschöpft.
Zehn Mann und mehr haben dort auf einmal gebadet. Er war unser Trost und unsere Hoffnung. Für uns war er kostbarer als alle Schätze Indiens.
Meine Hand wird schwach, und ich muß Lebewohl sagen. Dies hier ist also das Testament von Andrew Balfour, Kapitän der *Marie Galante*. Meine letzte Bitte ist, daß derjenige, der dies findet, dafür sorgt, daß ich und auch die wackeren Leute meiner Mannschaft anständig beerdigt werden und daß ein christliches Gebet über unseren Gräbern gesprochen wird. Weiter bitte ich darum, daß diese Mitteilung an den obersten Repräsentanten in Indien, den Ehrenwerten Sir Richard Bouchier, Gouverneur von Bombay, weitergeleitet wird.«

»Die Botschaft eines Mannes kurz vor seinem Tode«, sagte Fenton. »Die Worte eines Tapferen.«

Kelso nickte. »Mich wundert, daß er selbst angesichts des Todes keinen Versuch unternahm, uns etwas über den Schatz zu sagen. In seiner vorigen Mitteilung schrieb er, er sei gut versteckt, niemand würde ihn finden. Jetzt sieht es so aus, als hätten wir keine andere Wahl, als die ganze Insel durchzukämmen.«

Sie befanden sich im Kartenraum, das Pergament lag auf dem Kartentisch ausgebreitet. Es hatte Kelso nicht weiter gewundert, als er bei seiner Rückkehr feststellte, daß die beiden Gallivaten verschwunden waren. Nur noch die *Mouette* hielt Wache. Er konnte durch die offene Tür des Kartenhauses ihre Masten und Rahen sehen, die sich in der Dünung leicht bewegten. Lamont schien auf seinen nächsten Schritt zu warten. »Ich vermute, Sir, es steckt keinerlei Hinweis in der Botschaft?« fragte Fenton. »Nichts, was nur ein Mann der Kompanie verstehen würde?«

»Ich bezweifle es. Zuerst dachte ich, es sei eine versteckte Mitteilung im letzten Absatz enthalten, der in seinem Ton vom übrigen Text etwas abweicht. Ich kann aber doch keinen Fingerzeig darin finden, es sei denn, daß Balfour die Intelligenz des Lesers überschätz hat.«

»Was machen wir jetzt, Sir? Ist es denn möglich, die ganze Insel zu durchsuchen?«

»Möglich schon, aber nicht für uns. Auf jeden Fall ist es nicht notwendig.«

»Wieso nicht, Sir?«

»Stellen Sie sich doch vor, was wir suchen, nämlich eine starke Seekiste, zweifellos mit Metallbeschlägen, und angefüllt mit Unmengen von Edelsteinen.«

Er machte eine Pause und sah in Fentons verständnisloses Gesicht.

»Denken Sie an das Gewicht«, sagte er, »und malen Sie sich aus, daß es von zwei Männern getragen wurde, einem jungen Leutnant und einem Kapitän in mittleren Jahren.«

»Ah, jetzt sehe ich, was Sie meinen, Sir«, erwiderte Fenton. »Wegen des Gewichtes und der begrenzten Zeit, die ihnen zur Verfügung stand, um den Schatz zu verstecken, können sie nicht weit gegangen sein.«

»Eine Viertelmeile höchstens«, entgegnete Kelso. »Ich vermute sogar, daß das Versteck noch viel näher liegt.«

»Näher bei der Lagune?«

»Wahrscheinlich. Außerhalb des Riffs liegen Wrackteile ganz dicht unter der Oberfläche. Wir wollen bei Tagesanbruch jemanden dort nachsehen lassen. Ich denke, er wird das versunkene Heck der *Marie Galante* dort finden.«

Sie traten wieder hinaus an Deck, gerade rechtzeitig, um das kurze tropische Zwielicht zu erleben. Es war ein Anblick, der einen immer wieder gefangennahm. Beim Herannahen der Dämmerung erstarb die Brise, die tagsüber die übermäßige Hitze ein wenig gedämpft hatte, als habe sie nun ihre Schuldigkeit getan. Die See war ruhig, und das einzige gesetzte Segel, die Fockbram, hing schlapp herab. Eine Reihe von Möwen saß auf dem Bugspriet, und der Ausguck im Vortopp schirmte seine Augen gegen die letzten Strahlen der untergehenden Sonne.

Die Dämmerung kam vom Horizont herauf wie eine Woge von Farben. Ein glühendes, blutiges Rot, das von der See widergespiegelt wurde und sich innerhalb von Minuten zu dunklen Orange- und Purpurtönen wandelte. Kein Kardinal, kein orientalischer Herrscher hatten je Roben von solcher Farbenpracht getragen.

Im nächsten Augenblick war alles vorüber, erst das Blau des Tages, dann das Rot und das Purpur, dann Dunkelheit. Am Bugspriet der *Mouette* erschien ein Licht.

Kelso ging nach unten. Der Tod Balfours hatte ihm neue Probleme aufgebürdet, Probleme, die er noch vor Morgengrauen lösen mußte. Es war sicher, daß er mit der Zeit den Schatz finden würde, aber Zeit war gerade das, was ihm fehlte. Irgendwie mußte er ihn aber finden, und zwar so schnell wie möglich, auf alle Fälle noch vor Lamont.

Aus einem Impuls heraus ging er hinab ins Orlopdeck. Die Hitze und der Gestank trafen ihn wie ein Keulenschlag, als er die Leiter vom Zwischendeck hinunterstieg. Er hatte völlig vergessen, welche Bedingungen Bostick und Radley erdulden mußten, während sie auf ihre Verhandlung warteten. Auch den Posten hatte er vergessen.

Ein Korporal in leuchtend roter Tunika und weißen Hosen erhob sich mühsam. In einer Hand hielt er seine Muskete, über die Schulter geschlungen trug er eine Wasserflasche. Seine Uniform war klatschnaß.

»Guten Abend, Korporal. Was machen die Gefangenen?«

Der Korporal hob die Schultern. »Es geht ihnen nicht gut, Sir, nach dem Lärm zu urteilen, den sie verursachen.«

»Öffnen Sie die Tür.«

Als die Tür aufschwang, empfand er unerwartet Mitleid. Radley lag ohne seine Uniform in einer Ecke, das Haar zerzaust, den Körper schweißtriefend. Bostick, der Hüne, war in noch schlechterer Verfassung. Lang ausgestreckt und nur mit Hose und Schweißtuch bekleidet, wirkte er wie ein gestrandetes Seeungeheuer, das keuchend nach Luft rang. Unter knallrotem Gesicht hing sein Mund schlaff herab, die Augen waren glasig und blicklos.

»Nun, Bostick – was gibt's?«

»Sir«, er erhob sich mühsam auf die Knie, »lassen Sie mich hier heraus, um Gottes willen!«

»Sie wissen, daß ich das nicht kann. Möchten Sie Wasser?«

»Ich möchte Luft, Kapitän, ich möchte atmen.« Er fuhr sich mit der Hand an die Kehle und stieß ein tierisches Geheul aus. »Was habe ich getan, womit habe ich das verdient?«

»Das wissen Sie selbst.«

»Nein, Sir – ich schwöre: Ich weiß es nicht.«

»Sie sind einer von Lamonts Leuten. Sie haben der *Mouette* Zeichen gegeben, nicht einmal, sondern zweimal. Sie haben das Tauwerk angeschnitten. Die Folge ist, daß wir dieses Pack jetzt auf unseren Fersen haben.«

»Nein, Sir – ich schwöre.«

»Es ist zwecklos, Bostick. Das können Sie alles vor dem Kriegsgericht vorbringen.«

»Wenn ich so lange am Leben bleibe!«

Kelso zögerte. Was Bostick und sein früherer Bewacher auch getan hatten – schließlich waren sie Menschen. Es wäre grausam gewesen, selbst Tiere unter diesen Bedingungen gefangen zu halten. Er spürte, wie auch ihm der Schweiß über die Stirn lief und sein Hemd am Leibe klebte.

»Gut, Sie können an Deck gehen. Sie, Korporal, begleiten ihn und lassen ihn nicht aus den Augen. Sowie er eine verdächtige Bewegung macht, besonders wenn er den Versuch unternimmt zu signalisieren, haben Sie meine Erlaubnis zu schießen.«

»Jawohl, Sir. Und Radley?«

»Er kann ohne Wache an Deck gehen.«

Als Kelso wieder in seine Kajüte kam, fand er sie zu seiner Überraschung leer. Irina ging selten nach Einbruch der Dunkelheit an Deck. Ein paar Minuten später kam sie herein, bebte am ganzen Körper und zog ihren Sari fest um die Schultern.

»Ist dir kalt?«

»Dieser Mann!« Sie schmiegte sich eng an ihn. »Ich habe ihn eben an Deck gesehen.«

»Keine Angst, er wird die ganze Zeit über bewacht.«

»Das hat ihn aber nicht davon abgehalten, der *Mouette* Signale zu geben!«

»Er wird es nicht wieder tun.«

Sie zog ihn zur Koje hin. »Er will mich umbringen!«

»Warum sollte er? Du kannst ihm doch jetzt keinen Schaden mehr zufügen.«

»Ich bin die einzige, die seine Ankunft in Bombay gesehen hat.«

»Das stimmt.« Kelso sah geistesabwesend zu, wie sie sich auszog. Ihr Körper schimmerte goldbraun vor dem Weiß der Koje.

»Komm!« Sie griff nach seiner Hand.

»Du bist ganz sicher, daß es Bostick war, den du gesehen hast?«

Sie setzte sich auf, um ihm beim Ausziehen zu helfen. »Ganz sicher.«

Ihre Bestimmtheit beruhigte ihn, und er sagte lächelnd, während er sie in die Arme nahm: »Er muß es gewesen sein. Kein anderer kann uns verraten haben.«

Am nächsten Morgen, als das erste Frühlicht über das Meer schimmerte, schickte er Archibald mit dem Boot zu der Wrackstelle, die bei Niedrigwasser auftauchte. Der Tag war noch frisch, Kelso lehnte sich über die Reling und beobachtete das gleichmäßige Auf und Ab der Riemen. Die tropfenden Ruderblätter glitzerten in der Sonne, und das Boot glitt wie ein Geisterfahrzeug durch den Frühdunst. »*Auf Riemen! Riemen ein!*« Die Kommandos schallten deutlich über die stille Wasserfläche. Archibald und ein Bootsmannsmaat beugten sich weit über das Dollbord. Ein paar Minuten später kehrte das Boot zurück.

»Es ist die *Marie Galante*, Sir«, berichtete Archibald, »oder wenigstens das, was von ihr übriggeblieben ist.«

»Was habt ihr gesehen?«

»Nur das Heck, Sir, die Kajüte und das Achterdeck bis zum Kreuzmast – oder vielmehr dessen Stumpf. Das übrige liegt in tiefem Wasser.«

Kelso blickte zum Strand hinüber. »Schicken Sie die Leute frühstücken, Mr. Archibald. Wir gehen gleich an Land.«

Er war mehr denn je davon überzeugt, daß Balfour den Schatz in ganz geringer Entfernung von der Lagune versteckt hatte. Nachdem die schwere Kiste aus dem Boot gehoben und auf den Strand gesetzt worden war, mußte ihm klar geworden sein, daß ihm nur wenig Zeit blieb, sie zu verstecken. Er mußte damit fertig werden, so lange die Leute abwesend waren, und sein einziger Zeuge und Helfer war Leutnant Jardine.

Was hätte er selbst an Balfours Stelle getan?

Zuerst natürlich hätte er die Kiste unter einem nahegelegenen Busch verborgen. Dann kam ein kurzes Sondieren des Geländes und gleichzeitig Lauschen auf die eventuelle Rückkehr der Leute. Ihm blieb nur Zeit für eine rasche Entscheidung. Und doch klang seine Nachricht so zuversichtlich: Niemand würde das Versteck finden.

»Mr. Larkins!«

»Sir?«

»Lassen Sie meine Gig zu Wasser. Padstow!«

»Ich komme, Sir.« Einen Augenblick später erschien Padstow mit einem Becher und einer Schüssel.

»Kaffee, Sir, kochendheiß.«

»Keine Zeit dafür. Wir gehen an Land.«

»Ohne Frühstück, Sir?«

»Außer, wenn Sie damit fertig sind, bis meine Gig zu Wasser ist.«

Er aß ein paar Löffel voll von dem dampfenden Haferbrei und trank einen Schluck Kaffee. Noch bevor das Boot im Wasser war, stieg er die Leiter hinunter.

»Ich habe Ihre Pistolen und Ihren Degen mitgebracht, Sir.«

Als er aufblickte, sah er Padstows stämmige Beine über sich auftauchen.

»Werden Sie lange bleiben, Sir?« Der arme Fenton, der gerade von Wache gekommen war, mußte den Lärm an Deck gehört haben. Er knöpfte noch seinen Rock zu.

»Ich gehe auf eine Erkundungsfahrt, Mr. Fenton. Da Sie an Bord sind, besteht für mich kein Grund zur Eile. Schicken Sie die abgelöste Wache nach unten zum Frühstück. Anschließend sollen sie an Land kommen.«

»Alle, Sir?«

»So viele, wie in das Langboot passen. Nach zwei Stunden lassen wir sie ablösen.«

»Aye, aye, Sir. Und was ist mit den Offizieren?«

»Wer ist jetzt unten, Archibald? Gut, Mr. Archibald soll die Aufsicht übernehmen, und Mr. Crane soll mitkommen.«

»Aye, aye, Sir.«
»Und noch eins, Mr. Fenton!«
»Sir?«
»Mr. Tregowan soll eine Abteilung seiner Marineinfanteristen mitschicken.«

19

Kelso empfand ein wenig Mitleid mit Fenton, der infolge seiner Stellung immer zweiter Mann bleiben mußte, die zweitbeste Kajüte bewohnte, Befehle auszuführen oder weiterzugeben hatte und selten aus eigener Initiative Anweisungen erteilen konnte. Vorläufig kam er auch noch nicht an Land. Aber es war wesentlich, die *Paragon* in bewährten Händen zurückzulassen, besonders wenn eine feindliche Fregatte beinahe in Schußweite herumlungerte.

Die Fahrt zum Strand verlief ohne Zwischenfall. Padstow, der schon seines Vaters Dingi gerudert hatte, bevor er noch richtig laufen konnte, war ein geschickter Ruderer, und die Gig ritt über die Strömung wie ein Korken.

Als der Kiel auf Strand lief, sprang Padstow heraus, und Kelso folgte ihm. Er stand einen Augenblick auf dem nassen Sand und betrachtete prüfend die Büsche im Umkreis.

»Halten Sie die Augen offen«, warnte er. »Ich möchte nicht, daß wir eine Überraschung erleben.«

Padstow hielt an und zog sofort sein Messer aus dem Gürtel. »Wer könnte uns angreifen, Sir? Ich denke, die Insel ist unbewohnt?«

»Sie war es – gestern. Seitdem haben die beiden Gallivaten nach einem anderen Landeplatz gesucht. Wenn es ihnen gelungen ist zu landen, müssen wir auf der Hut sein.«

Er glaubte nicht an eine unmittelbare Gefahr, höchstens vielleicht später am Tag. Die Angrianer konnten kaum vor gestern abend eine Möglichkeit zum Landen gefunden und dann bestimmt keinen Nachtmarsch über das Gebirge riskiert haben. Ein paar Stunden zumindest würde er ungestört suchen können.

»Verzeihung, Sir, wonach suchen wir eigentlich?«

Padstow, dessen kurze Beine es ihm schwer machten, Kelso zu folgen, rannte mehr als er ging über den losen Sand.

»Nach einer Schatzkiste. Ich dachte, das sei Ihnen bekannt.«

»Ich habe es vermutet, Sir. Und wir wissen nicht, wo wir sie suchen sollen?«

»Sie muß hier auf der Insel sein, das ist alles, was wir wissen«, sagte Kelso.

Padstow grinste. »Gut, daß ich noch rasch gefrühstückt habe, denn mit dem Mittagessen scheint es spät zu werden.«

Sie überquerten den Fluß, und Kelso blieb am Ende des Strandes in Höhe des Felsvorsprungs stehen, an einem Punkt also, wo die Kiste wahrscheinlich an Land geschafft worden war. Er malte sich Kapitän Balfour aus, der etwa zur selben Tageszeit dort gestanden hatte, den Schatz zu seinen Füßen und einen einzigen Mann als Hilfe.

Als er sich suchend umblickte, stellte er fest, daß das in Frage kommende Gebiet sehr begrenzt war. Der Strand wurde auf der einen Seite von einer hohen und steilen Klippe, auf der anderen von einem gewaltigen Felsblock abgeschlossen, dessen abgeschrägte Fläche zu dem vorgelagerten Kap führte. Neben dem Felsen lief eine Schlucht parallel zur Küste, die landeinwärts in bewaldetes Gelände überging. Der gesamte Strand wurde von ansteigenden, bewaldeten Hängen gesäumt, deren Gipfel er nicht sehen konnte und aus denen der Bach herabfloß.

»Wir gehen in dieser Richtung«, sagte Kelso und zeigte auf die Schlucht. Sein erster Impuls war jedoch die Sicherstellung ihrer Verteidigung. Da die Möglichkeit bestand, daß sich rund hundert Angrianer auf einen Angriff vorbereiteten, wollte er wissen, aus welcher Richtung sie vermutlich anrücken würden. Die Klippen im Norden fielen so steil ab, daß sie kaum einer Ziege Halt boten. Der westliche Höhenzug war zu dicht bewaldet für eine genaue Beurteilung, zumal er nur bis zur Höhe von etwa tausend Fuß zu sehen war und lediglich ein kleiner Vorberg des dahinterliegenden, sehr hohen Zuckerhutberges zu sein schien. Eine Annäherung aus dieser Richtung war zwar denkbar, wäre aber schwierig und langwierig gewesen. Die offensichtlich günstigste Route bot sich von Süden her.

Als sie durch die Schlucht aufwärts stiegen, wobei sie sich mühsam ihren Weg durch dichtes Dornengestrüpp bahnen oder über Felsen klettern mußten, überlegte Kelso, ob Balfour wirklich diesen Weg gewählt hätte. Vermutlich war er dazu überhaupt nicht in der Lage gewesen. Es war schon schwierig genug für unbelastete Männer. Aber eine schwere Kiste hier heraufzuschleppen, war schier unmöglich.

Er ging jedoch weiter, denn wenn es vielleicht auch nicht Balfours Aufstiegsroute gewesen war, so konnte es doch die Richtung sein, aus welcher der zu erwartende Angriff der Angrianer erfolgen würde. Diese Piraten waren zwar als kühne Kämpfer zur See bekannt, ihre eigentliche Heimat war jedoch das trockene und steinige Bergland Nordindiens. Daher würde ihnen die Bezwingung der Schlucht kaum Schwierigkeiten bereiten.

Er hielt an und blickte keuchend hinunter zur Lagune und zu dem tiefblauen Wasser der offenen See dahinter. Die *Paragon* sah man dort vor Anker liegen, die elegante, schlanke Form ihres Rumpfes, die Takelage, zierlich wie Filigran. Die *Mouette* wirkte dagegen sehr viel klobiger.

Er bemerkte Bewegung auf der *Paragon,* das Langboot wurde gerade zu Wasser gelassen.

»Das muß wohl Herkules gewesen sein, der eine schwere Schatzkiste hier heraufgeschleppt hat«, beklagte sich Padstow. Schwitzend brach er durchs Gestrüpp wie ein verärgerter Bär.

Es wurde ständig heißer. Die Sonne stand schon hoch über dem Horizont, und die Hitze zwischen den Wänden der Schlucht, durch keinerlei Brise gemildert, war fast unerträglich. Kelso stieg aber unbeirrt weiter. Zu seiner Linken erhob sich der Hügel aus einem Gestrüpp von Grasland und Buschwerk zu einem felsigen Gipfel. Dieser erstreckte sich – obwohl Kelso dessen Verlauf nicht soweit verfolgen konnte – bis zu dem vorgelagerten Kap, an dem das Wrack der *Marie Galante* gestrandet war.

Wieder hielt er an und wischte sich den Schweiß von der Stirn. Je weiter er kletterte, desto klarer wurde es ihm, daß Balfour und Jardine die Kiste nicht hier heraufgeschleppt haben konnten. Aber er mußte höher hinauf, um sich einen Überblick zu verschaffen. Durch Lücken im Dorngestrüpp sah er, daß die Wände der Schlucht noch weiter anstiegen. Aber obgleich der Aufstieg immer steiler, die Dornbüsche dichter und die Felsen häufiger wurden, war dies für einen entschlossenen Feind kein unüberwindliches Hindernis, zumal dieser dann von oben käme und die Felswände abwärts steigen würde.

Es war vollkommen still in der Schlucht, kein Lüftchen bewegte sich. Die einzigen Geräusche, die Kelso vernahm, waren Padstows unterdrückte Flüche und das Gepolter der losgetretenen Steine. Bis oben schien es noch immer beträchtlich weit zu sein.

»Verzeihung, Sir!«

»Ja?«

»Wieviele Männer sollen diese Kiste getragen haben?«

»Zwei.«

Padstows Gesicht drückte deutliches Erstaunen aus, aber er machte keine weitere Bemerkung.

»Ich weiß, was Sie denken«, sagte Kelso, »und ich bin zum selben Schluß gekommen. Zwei Männer können sie nicht so weit getragen haben. Wenn sie zwischen den Felsen versteckt ist, dann weiter unten, in der Nähe des Strandes.«

Padstows verschwitztes Gesicht verriet jetzt deutliche Erleichterung.

»Ich bin augenblicklich nicht hinter dem Schatz her«, fuhr Kelso fort. »Diese Suche werde ich organisieren, sowie die erste Gruppe an Land kommt.«

Padstow nickte. »Aber wir steigen trotzdem noch auf diesen Berg?«

»Ja, wir steigen noch bis zum Gipfel.«

In Wirklichkeit handelte es sich nur um einen hohen Hügel. Der Zuckerberghut lag auf der anderen Seite der Insel, und schon seine Vorberge schienen erheblich höher zu sein als der Kamm des Hügels, den sie jetzt erklommen.

Wenn auch nicht besonders lang, so war der Aufstieg doch recht beschwerlich. Die sengende Hitze ließ den Schweiß strömen und das Herz klopfen. Jeder Schritt mußte erkämpft werden, über lose Felsbrocken und Steine oder durch dichtes, dornenbewehrtes Gestrüpp. Die Wildnis hatte jedoch auch ihre Schönheit: Blühende Euphorbien wechselten sich ab mit leuchtenden, über und über mit Blüten bedeckten Dornbüschen. Ein süßlich duftender Strauch, der überall in der Schlucht wuchs, zog Myriaden von Schmetterlingen an. In einem jetzt trockenen Flußbett verstreuten Akazien ihre weißen und roten Blütenblätter.

Gelegentlich sahen sie Riesenechsen. Auf einer freien Stelle zwischen den Felsen sonnten sich sogar Hunderte von ihnen. Es waren abstoßende Geschöpfe mit schuppigen Köpfen und prähistorisch anmutenden Schwänzen. Kelso fragte sich, ob er imstande gewesen wäre, sie zu essen, wenn er wie die Leute der *Marie Galante* keine andere Nahrung gehabt hätte.

Als die obere Kante des Steilhanges in Sicht kam, blieb Kelso stehen. Dann kletterte er die Ostseite der Schlucht hinauf, setzte sich oben auf einen Felsblock und blickte über die tief unten liegende See.

Die beiden Fregatten wirkten jetzt wie Spielzeugschiffe auf blauem Untergrund. Die etwas näher liegende *Paragon* war klarer zu erkennen, ihr schwarz-weißer Rumpf, überragt von dem feinen Gespinst der Masten und Rahen. Die Lagune sah aus wie ein elfenbeingerahmter Spiegel, und das Langboot, das gerade durch die Lücke im Riff steuerte, war nicht größer als ein Wasserinsekt.

Nun wandte er den Blick landeinwärts. Von seinem Aussichtspunkt überblickte er die zu verteidigenden Linien. Die Nordflanke war vollkommen sicher, da niemand, nicht einmal die angrianischen Piraten, die steilen Klippen herabklettern konnte. Die Annäherung vom Westen her schien fast ebenso schwierig zu sein, wenn er diese Möglichkeit auch der dichten Bewaldung wegen nicht einwandfrei beurteilen konnte. Die bei weitem günstigste Angriffsmöglichkeit bot sich von Süden her.

Die Schlucht führte auf ein Plateau hinauf, das sich etwa hundert Schritte in jeder Richtung erstreckte. Hier hörte der Baumbestand völlig auf, und gewaltige Felsblöcke, die wie Ruinen eines alten Tempels wirkten, bleichten in der Sonne.

»Wasser, Sir?« Padstow hatte in weiser Voraussicht seine Feldflasche mitgebracht.

»Nein, danke.« Kelso stand auf. »Wir gehen gleich zurück an den Strand – sowie wir diesen Hügel hier erstiegen haben.«

Er sprang den kurzen Hang zum Rand der Schlucht hinab, wobei er über lose Platten und Geröll glitt und mehrmals zu Fall kam oder sich nur mühsam an Büschen festhielt. Dann begann er zu klettern.

Der Gipfel – falls er das tatsächlich war – hatte von der Klippe aus so nahe gewirkt, als sei es überhaupt keine Entfernung bis dorthin. Jetzt dagegen erschien ihm der Aufstieg endlos.

Halb geblendet von Schweiß und mit zitternden Knien zwang er sich aufwärts – zu erschöpft, um sich wegen eines möglichen Hinterhaltes der Angrianer Sorgen zu machen oder um an Padstow zu denken, dessen Fluchen und Brummen immer mehr zurückblieb.

Endlich erreichte er heftig keuchend das Plateau, auf dem ein großer Schwarm Echsen in der Sonne schmorte. Die Tiere musterten ihn mit ihrem unergründlichen Basiliskenblick. Obwohl es hier oben keinerlei Schatten gab, war doch eine angenehme, erfrischende Brise von der See her zu verspüren. Winzige Blumen, leuchtend wie frischgeprägte Goldmünzen, wuchsen in den Felsspalten, und ein Hauch von Thymian lag in der Luft.

Er überquerte das Plateau, das so abrupt endete, wie es begonnen hatte. Der kahle Fels ging über in eine geschlossene Buschreihe, hinter der höhere Bäume auszumachen waren. Kelso überkam eine tiefe Enttäuschung, daß er nach dieser anstrengenden Kletterei nun doch nichts sah. Ob dies wirklich der Gipfel war oder nicht, vermochte er nicht zu sagen. Der Boden unter den Bäumen schien eben zu verlaufen, aber ihm war klar, daß er in einiger Entfernung genausogut wieder ansteigen konnte.

»Da sind Sie ja, Sir«, brummte Padstow, während er mühsam seine schmerzenden Beine über die Felskante hob. »Dachte schon, ich hätte Sie verloren und müßte einen Suchtrupp organisieren.«

»Keineswegs«, entgegnete Kelso, »obgleich ich noch wissen möchte, was jenseits dieses Plateaus ist.«

»Nichts, Sir«, beeilte sich Padstow zu versichern. »Nichts als Felsen und verdammte Dornbüsche.«

»Ich möchte wissen, ob wir wirklich auf dem Gipfel sind.«

Padstow lehnte sich an einen Felsblock und wischte sich mit dem nackten Arm den Schweiß vom Gesicht. »Sie wollen wirklich noch weiter, Sir?«

»Wir müssen, es sei denn . . .« Er blickte nach oben und hielt die Hand über die Augen. »Können Sie auf diesen Baum klettern?«

Padstow zog eine Grimasse. »Wenn es darum geht, weiterzusteigen oder nicht, Sir, dann klettere ich.«

Nachdem aber sein Steward unter greulichen Flüchen vergeblich versucht hatte, mit seinen kurzen Beinen an dem glatten Stamm Halt zu finden, war es am Ende doch Kelso selbst, der hinaufstieg. Der Baum, eine Weidenart, saß zwar voller dünner Zweige, die Arme und Gesicht wie Ruten peitschten, aber es gab keinen einzigen Ast, der sein Gewicht getragen hätte. Seit Jahren war Kelso nicht mehr höher gewesen als auf der Bramsaling; aus seiner Kadettenzeit entsann er sich jedoch der Technik, mit deren Hilfe sie damals auch noch die glatte Stenge oberhalb der Bramrah hinaufklettern mußten. Mit seinen von der Wanderung fast gefühllosen Armen und Beinen umklammerte er den Stamm und schaffte es schließlich.

Mit letzter Kraft hielt er sich ganz oben an dem schwankenden Stamm fest und spähte umher.

Was er sah, beruhigte ihn. Das dichtbewaldete Plateau setzte sich in derselben Richtung noch etwa eine Meile weit fort und fiel dann zur See hin jählings ab. Auf der Landseite stieg der Berg steil an. Ihm folgte eine Reihe bewaldeter Kämme bis zum eigentlichen Gipfel. Trotz des Sonnenscheins, der Schmetterlinge und buntgefiederten Vögel über den Baumwimpfeln hatte Kelso das Gefühl so unendlicher Einsamkeit, als sei er der erste Mensch auf Erden.

In diesem Augenblick entdeckte er von seinem luftigen Sitz aus die Gallivaten.

Sie lagen – zwei kaum sichtbare Punkte – unter den Klippen im Süden vor Anker. Die Entfernung betrug etwa zwei Meilen und war zu groß, um Einzelheiten wie Beiboote oder gar Menschen erkennen zu lassen. Ihm war jedoch klar, daß die Angrianer dort nicht vor Anker lägen, wenn sie nicht zwischen den Klippen eine Landemöglichkeit entdeckt hätten.

Er überlegte, wie lange sie schon dort sein mochten. Bei dieser Entfernung und unter der Voraussetzung, daß ihnen das Gelände ebensolche Hindernisse in den Weg legte wie die hiesige Schlucht, konnte eine gelandete Gruppe in frühestens drei Stunden die Lagune erreichen.

Er mußte den Schatz noch an diesem Morgen finden.

20

Tatsächlich fanden sie ihn aber nicht einmal bis zum Abend. Den ganzen Tag über durchkämmten Suchtrupps von jeweils sechs Mann, geführt von einem Offizier oder Fähnrich, Strand, Berghang und Wälder. Als der Vormittag ergebnislos verstrichen war, drangen sie tiefer und tiefer in den Wald ein, obwohl Kelso davon überzeugt war, daß der Schatz in geringerer Entfernung vom Strand verborgen sein müsse.

Von den Angrianern war weit und breit nichts zu sehen. Zwar war jeder Suchtrupp von einem bewaffneten Marineinfanteristen begleitet, aber nur ein einziger Schuß fiel, als ein Soldat auf ein schwankendes Schlinggewächs feuerte, das er für einen Angreifer hielt.

Alle vier Stunden wurden die Trupps abgelöst. Das Boot brachte dann sechs müde und des fruchtlosen Herumstöberns im Gestrüpp überdrüssige Männer zur *Paragon* zurück und fuhr kurz darauf mit sechs frischen, landhungrigen Leuten wieder zur Insel hinüber.

Um zwölf Uhr mittags kam Kelso an Bord und schickte Fenton an Land. Ihm wurde allmählich die Schwierigkeit seiner Aufgabe klar, obgleich er sich nicht vorstellen konnte, daß sie den Schatz nicht finden würden. Schließlich war das in Frage kommende Gebiet so eng begrenzt, und die Versteckmöglichkeiten für eine schwere, metallbeschlagene Kiste waren so gering! Konnte Balfour, so überlegte er weiter, sie alle an der Nase herumgeführt haben?

Angenommen, die Anzahl der Träger stimmte nicht? Vier Mann waren im Boot gewesen, außer Balfour und Jardine. Wenn sie alle mit angefaßt hatten, hätte sich die Größe des Suchgebietes verdreifacht oder gar vervierfacht.

Konnte Balfour die Kiste geleert haben, während Jardine abgelenkt war? Auch zwei Männer allein konnten die leere Kiste weit in die Berge tragen. Aber wann hätte Balfour den wertvollen Inhalt unbemerkt in ein Versteck geschafft?

Beide Theorien waren zwar möglich, aber wenig wahrscheinlich.

»Master! Du bist zurück?«

Irina war hereingekommen.

»Nur für kurze Zeit. Bei Wachwechsel muß ich wieder hinüber und Fenton ablösen.«

»Wirst du mich mitnehmen?«

»Nein.« Er lächelte, um die Ablehnung zu entschärfen. »Es ist heiß drüben«, erklärte er, »und jeden Augenblick ist mit einem Angriff zu rechnen. Dieses Risiko kann ich nicht eingehen.«

»An Bord ist es auch heiß« erwiderte sie, »und das Risiko fürchte ich nicht.«

»Nein.«

Schmeichelnd legte sie die Arme um seine Taille, und obwohl er gleich wieder an Deck wollte für den Fall, daß die *Mouette* etwas unternahm, schob er sie nicht zurück.

»Bitte, Master.«

»Nein.«

»Ich würde bestimmt nicht stören.«

Er nahm sie in die Arme. »Hör zu. Balfour ist tot, und ich muß den Schatz so schnell wie möglich finden. Zwei Gallivaten liegen im Süden der Insel vor Anker, und wer weiß, wie viele Angrianer schon an Land gegangen sind. Bisher ist zwar noch nichts von ihnen zu sehen, aber sie werden kommen. Jede Stunde, jede Minute ist wichtig, wenn wir den Schatz vor ihrer Ankunft finden wollen.«

Sie klammerte sich an ihn, den Kopf an seine Brust gelehnt. »Wäre ich dir denn so lästig?« fragte sie. »Ich verspreche, daß ich am Strand bleibe.«

»Nein.« Er schob sie von sich und blickte ihr in die Augen. »Ich kann nicht, Irina. Bitte frag nicht weiter.«

»Also gut.« Sie löste sich von ihm und setzte sich auf den Rand der Koje. Dort blieb sie sitzen, fassungslos und verzweifelt. »Kommst du heute abend zurück?«

»Voraussichtlich.«

»Ich werde eine Abendmahlzeit für dich vorbereiten.«

Er nickte. Dann aber, da er ihre Traurigkeit nicht länger ertragen konnte, fügte er hinzu: »Morgen vielleicht, wenn wir ihn heute nicht finden.«

Ihre Miene hellte sich auf. »Dann nimmst du mich mit an Land?«

»Ja, morgen kannst du mitkommen.«

Den ganzen Nachmittag über suchten sie weiter. Die Schlucht und der untere Teil des Waldes wurden von Unterholz entblößt, die Seeleute schwangen wuchtige Äxte. Trampelpfade begannen zu entstehen, und die Flußufer wurden schlammig von all den Fußspuren. Die Angrianer waren noch immer nicht zu sehen. Bei Sonnenuntergang schickte Kelso eine Abteilung unter Führung von Archibald zu dem Plateau am oberen Rand der Schlucht. Als sie zurückkamen, berichteten sie, daß die beiden Gallivaten noch immer vor Anker lägen, von den Besatzungen aber nichts zu entdecken sei.

»Was werden Sie tun, Sir?« fragte Archibald. »Lassen Sie während der Nacht eine bewaffnete Wache an Land zurück?«

»Nein«, entgegnete Kelso. »Wir nehmen sofort beim Hellwerden die Suche wieder auf.«

Zwar widerstrebte es ihm, den Strand unbewacht zu lassen, aber eine Suche im Dunkel war ohnehin zwecklos. Wenn die Angrianer während der Nacht eintrafen – und er hielt das durchaus für möglich –, mußten auch sie die Helligkeit abwarten, bevor sie anfangen konnten zu suchen. Seine größte Sorge war, daß sie im Lauf der Nacht Verteidigungspositionen ausbauen konnten, so daß der erste Landungstrupp möglicherweise seinen Weg freikämpfen mußte. Dieses Risiko schien ihm jedoch geringer, als während der Nacht das Leben eines kleinen Kommandos aufs Spiel zu setzen.

Nach dem Essen übernahm er die erste Abendwache. Trotz seiner Übermüdung konnte er sich nicht entspannen. Im Licht des Vollmondes sah er die *Mouette* mit festgemachten Segeln ruhig auf ihrem Ankerplatz liegen. Masten und Rahen hoben sich klar gegen den Himmel ab. Er hätte viel dafür gegeben zu wissen, was in Lamonts Kopf vorging.

An Land war alles ruhig. Da keinerlei Bewegung oder Licht am Strand zu entdecken waren, ging er in seine Kabine und legte sich angezogen auf die Koje, wo er sofort in einen tiefen, traumlosen Schlaf fiel.

»Kaffee, Sir, kochendheiß.«

Es kam ihm vor, als habe er nur ein paar Minuten geschlafen, als Padstow ihn mit der üblichen Frühstücksankündigung weckte. Er setzte sich auf und sah durch die offene Pforte das erste schwache Dämmerlicht. Der Platz an seiner Seite war leer.

»Master!« Irina kam herein, als er sich rasierte. Sie sah glücklich und erwartungsvolll aus, und es fiel ihm schwer auf die Seele, daß er ihr versprochen hatte, sie mit an Land zu nehmen.

Schließlich legten sie ab, seine Gig folgte dem Langboot. Falls die Angrianer während der Nacht eingetroffen waren, konnte er Irina unmöglich der Gefahr des ersten Angriffs aussetzen.

Sie landeten jedoch ungestört und ohne auf Gegenwehr zu stoßen. Alles war so, wie sie es am Abend zurückgelassen hatten: das zertrampelte Unterholz, die mit Felsblöcken übersäte Schlucht.

Während seiner Wache hatte er sich noch einmal durch den Kopf gehen lassen, auf welche Weise die Suche wohl die meiste Aussicht auf Erfolg hatte. Viel hing davon ab, welche Gelegenheit Balfour gehabt hatte, die Kiste zu verstecken. In seiner Nachricht teilte er mit, daß der größte Teil seiner Leute auf Jagd gewesen war. Wohin mochten sie gegangen sein? In den Wald, in dem es vielleicht Wildschweine oder Hirsche gab, oder zur Schlucht, in der die Echsen hausten? Es war nicht mit Bestimmtheit zu sagen.

So mußte er sich noch einmal in Balfours Lage versetzen. Wohin hätte er sich gewandt in der begrenzten Zeit, die ihm zur Verfügung stand? Es mußte schon heiß gewesen sein, denn es war eine gute Stunde nach Sonnenaufgang. Hätte sich Balfour für die Gluthitze der Schlucht oder für die Kühle des Waldes entschieden?

»Wir durchsuchen den Wald«, sagte er schließlich zu Craig. »Teilen Sie gleiche Abstände für Ihre Gruppe ein, und lassen Sie sie dann vom Strand aus landwärts suchen. Denken Sie daran: Die größte Chance bietet das Gebiet in der Nähe der Küste. Die Leute sollen sich Zeit lassen. Sie haben das Terrain schon einmal durchsucht, jetzt sollen sie das noch gründlicher wiederholen. Der Schatz muß gefunden werden!«

Er selbst ging zum Bach und befeuchtete sein erhitztes Gesicht, als er plötzlich ein Spiegelbild im Wasser bemerkte.

»Irina!«

Er wandte sich um, noch in der Hocke, und konnte kaum seinen Ärger verbergen. »Du hast versprochen, am Strand zu bleiben!« Er erhob sich und sah ihr in die Augen. »Nun gut, dies hier ist auch noch Srtand. Aber du mußt mir schon gestatten, daß ich mit der Suche fortfahre.«

»Ja, Master.« Sie machte sofort kehrt und ging gesenkten Hauptes zu den Bäumen hinüber.

Ärgerlich trat er gegen einen Stein und stieß ihn ins Wasser, wo er aufklatschend verschwand. Er wollte nicht unfreundlich sein, aber immerhin waren die nächsten Stunden von größter Wichtigkeit. Der Schatz mußte auf jeden Fall gefunden werden und die *Paragon* so schnell wie möglich nach Bombay zurückkehren. Beides zu vereinen, wurde immer schwieriger.

Andererseits konnte er es sich nicht leisten, Lamont und die Angrianer auf der Insel zurückzulassen, wo sie dann in Ruhe suchen konnten, nachdem er sie einmal hergeführt hatte.

Er schritt über die Behelfsbrücke und begann, die Schlucht hinaufzusteigen. Da er alle anderen in den Wald geschickt hatte, fühlte er sich verpflichtet, wenigstens selbst noch einmal in der Schlucht zu suchen.

Der Aufstieg kam ihm diesmal weniger beschwerlich vor, obwohl es genauso heiß war. Die abgehackten Büsche erleichterten zwar das Vorwärtskommen, raubten aber auch das letzte bißchen Schatten.

Die einzigen Verstecke, die sich boten, waren die Felsblöcke, also prüfte er bei jedem dieser Brocken, ob er bewegt werden konnte, und vor allem, ob sich ein Hohlraum darunter befand.

In Frage kamen besonders die kleineren Blöcke. Wenn erst ein Loch ausgehoben war, mußte es eine vergleichsweise leichte Aufgabe gewesen sein, die Kiste dort zu vergraben und mit einer Lage Steine zu bedecken. Aber nirgends war frische Erde außer an den Stellen, wo die Büsche gestanden hatten, und die Steine sahen alle gleich aus, von der Sonne ausgeblichen. Ohne die ganze Schlucht umzugraben, war ein solches Versteck unmöglich zu finden.

Er stieg zum oberen Rand der Schlucht hinauf und war im Begriff umzukehren, als er hinter sich das Geräusch losgetretenen Gesteins hörte.

Blitzschnell fuhr er herum und griff zum Degen. Beinahe hätte er vor Zorn aufgeschrien, denn es war Irina, die hinter ihm über das Gestein kletterte.

»Was willst du hier?« fuhr er sie an.

Sie antwortete nicht, sondern hob den Saum ihres Sari und beschleunigte den Schritt.

»Was willst du hier?« wiederholte er.

»Master!« Sie lief zu ihm, schlang die Arme um ihn und preßte den Kopf gegen seine Brust. »Sei nicht böse.«

»Habe ich nicht allen Grund dazu? Du hast versprochen, am Strand zu bleiben.«

»Ich mußte kommen. Ich konnte den Gedanken nicht ertragen, daß du hier allein bist.«

»Denkst du, meine Lage wird dadurch leichter, daß du jetzt an meinem Rockzipfel hängst?«

Er legte ihr die Hände auf die Schultern und schob sie von sich. Keinesfalls wollte er ihr wehtun, aber sein Ärger und die Aufregung ließen die Bewegung wohl etwas heftiger ausfallen als beabsichtigt. Sie stolperte rückwärts, stieß gegen einen Stein und stürzte zu Boden, wo sie bewegungslos und mit geschlossenen Augen liegenblieb.

»Irina!«

Im ersten Augenblick glaubte er, sie sei tot. Er kniete neben ihr nieder und nahm ihren Kopf in die Arme.

»Irina!« Verzweifelt küßte er sie auf die Augen, auf den Mund. Ihr Körper, leicht und geschmeidig wie der eines Kindes, lag bewegungslos in seinen Armen.

Endlich öffnete sie die Augen und blickte ihn verwundert an. »Was ist geschehen?«

»Du bist gestürzt.« Mit seiner üblichen Ehrlichkeit fügte er hinzu: »Ich habe dich gestoßen.«

Jetzt schien sie sich zu erinnern, denn sie verbarg ihr Gesicht an seiner Brust und weinte.

»Irina!«

Zart schob er ihr die Hand unter das Kinn und hob ihr Gesicht, so daß sie ihn anblickte. »Ich liebe dich. Ich wollte dir nicht weh tun. Das weißt du.«

»Ja, Master.« Noch immer weinend, klammerte sie sich an ihn. »Ich wollte dich doch nicht ärgern.«

Um sie zu trösten, legte er ihr die Hand auf die Brust, aber sie mißverstand die Bewegung und führte seine Hand in ihren Sari, so daß er ihre Körperwärme und ihren Herzschlag spürte.

»Hab' mich lieb!«

»Später.« Er fuhr aber wie unter Zwang fort, sie zu liebkosen.

Plötzlich, er wußte später selbst nicht mehr, wodurch, fühlte er die drohende Gefahr. Es war kein Ton, keine Bewegung, die ihn gewarnt hatte, aber als er sich umwandte, sah er einen nackten Fuß.

Er blickte nach oben. Ein Angrianer stand über ihm, die Pistole auf seine Brust gerichtet. Mindestens ein Dutzend weitere standen ringsum hinter den Felsblöcken.

Langsam erhob er sich und knöpfte sein Jakett zu. Die Angrianer versperrten ihm jede Rückzugsmöglichkeit und waren vom Strand aus nicht zu sehen.

»Sprechen Sie englisch?« fragte Kelso.

Der Mann mit der Pistole war fast völlig kahl. Eine gewaltige Narbe auf seiner Wange und ein langer, ungepflegter Bart gaben ihm ein bösartiges Aussehen. Die Frage ignorierte er.

»Irina«, sprach Kelso im gleichen Tonfall weiter, als seien seine Worte noch immer an den Piraten gerichtet. »Gleich werde ich sie ablenken. Wenn ich ›jetzt‹ rufe, spring auf und lauf.«

Da er seine ganze Aufmerksamkeit den Angrianern zuwandte, konnte er nicht erkennen, ob Irina ihn verstanden hatte, aber zumindest blickten alle ihn an und nicht das Mädchen.

»Was wollt ihr von mir?« fragte er, diesmal aber auf mahratti.

»Den Schatz, Engländer. Wo ist er?«

Er lächelte. »Das wüßte ich auch gern.«

Sein Lächeln reizte den Angrianer, wie er gehofft hatte. »Den Schatz, Engländer!« wiederholte der Mann mit der Pistole drohend und kam einen Schritt näher.

»Jetzt!«

Kelso schlug die Hand mit der Pistole zur Seite und stieß dem Inder seine Faust zwischen die Augen. Der Pirat fiel hintenüber, die freie Hand vorm Gesicht. Gleichzeitig löste sich der Schuß, ob zufällig oder absichtlich, war nicht zu erkennen. Die Kugel traf einen Felsblock, von dem sie abprallte.

»Lauf!« rief Kelso und zog seinen Degen. Zu seiner Erleichterung sah er aus dem Augenwinkel Irinas Sari bergab verschwinden. Er hoffte sehr, daß man den Schuß unten am Strand gehört hatte.

Mit Messern, Enterbeilen und einer alten Muskete bewaffnet, schlichen die Piraten jetzt vorsichtig näher. Kelso sprang auf einen Felsblock und stieß dem ersten seinen Degen durch die Schulter, dem nächsten trat er mit voller Wucht ins Gesicht. Der Mann mit der Pistole hatte sich wieder erhoben und lud erneut durch, während der mit der Muskete unentschlossen schien.

Jetzt wurde es Kelso zur Gewißheit, daß sie den Auftrag hatten, ihn lebend zu fangen.

Blitzschnell zog er seine eigene Pistole und feuerte auf die Angreifer. Einer brach getroffen zusammen, ein anderer ließ schreiend und fluchend sein Entermesser fallen.

Im selben Augenblick sprang Kelso zwischen sie, durchbrach ihre Linie und rannte die Schlucht hinunter.

Das Laufen war äußerst schwierig auf dem unebenen, mit Steinen übersäten Hang. Verschiedentlich rutschte und stolperte er oder stieß mit dem Schienbein an Felsbrocken. Hinter sich hörte er das Keuchen und Trampeln der Verfolger, aber es fiel kein Schuß.

Er hatte bereits die Hälfte des Hanges hinter sich gebracht und war auf dem Weg in die Sicherheit, als er ausglitt und schwer zu Boden stürzte.

21

Sie zerrten und stießen ihn die Schlucht aufwärts bis zum Rand des Plateaus, wo sie keuchend und schweißüberströmt anhielten und nach etwaigen Verfolgern Ausschau hielten. Kelso war über und über blutig von seinem Sturz und von den Schlägen, die jedesmal auf ihn niederprasselten, wenn ihn die Kräfte verließen.

Von Verfolgern war nichts zu sehen oder zu hören. Er konnte es kaum glauben. Craig, den er am Strand zurückgelassen hatte, war einer seiner fähigsten Offiziere, und an Mut fehlte es ihm bestimmt nicht. Die Schüsse mußte er gehört haben, und bei Irinas Eintreffen hätte er eigentlich bereits eine bewaffnete Patrouille bereithaben müssen.

»Deine Freunde kommen nicht«, sagte der Anführer der Angrianer hämisch grinsend und stieß Kelso vor sich her über das Plateau. Seine Lippen waren noch blutig von dem Fausthieb, den er erhalten hatte.

Auf der anderen Seite der Hochfläche kletterten sie den südlichen Hang hinab zur Küste. Der Abstieg war mühsam und voller Hindernisse. Sie mußten sich ihren Weg durch dichten Bestand an stacheligen Euphorbien und mannshohem Stechginster bahnen, und obwohl eine leichte Seebrise wehte, herrschte eine derartige Gluthitze, daß selbst die Echsen zu keuchen schienen.

Die Angrianer, die offensichtlich schon die ganze Nacht unterwegs gewesen waren, zeigten sich in noch schlechterer Verfassung als Kelso. Der Schweiß lief ihnen über die nackten Oberkörper, und bald schienen sie außerstande, ihren Gefangenen durch Schläge anzutreiben.

Die grimmige Prozession bewegte sich in völligem Schweigen

hangabwärts. Während Kelso vorwärtsstolperte, überlegte er verzweifelt, welche Fluchtmöglichkeiten sich boten. Sie hatten seine Hände mit einem Strick gefesselt, an dem ihn ein Angrianer hinter sich herzerrte. Zu seiner Linken, stets in geringem Abstand, ging der kahlköpfige Anführer, auf der anderen Seite der Mann mit der Muskete, und durch die Büsche sah er ab und zu einige der übrigen Piraten. Selbst wenn er seinen unmittelbaren Bewachern entkommen wäre, stünden seine Chancen – mit gefesselten Händen und dem hinter ihm herschleifenden Tauende – äußerst schlecht. Aber er mußte es versuchen.

Nach einem Marsch von etwa einer Stunde ließ der Anführer halten. Zwei Leute wurden hinter ihnen postiert, ein anderer stieg auf einen Felsblock, der die Umgebung überragte. Die übrigen sanken erschöpft zu Boden, wo sie gerade standen und ein Fleckchen Schatten ergattern konnten. Von Verfolgern war noch immer nichts zu sehen.

Der Anführer wandte sich jetzt Kelso zu und schlug ihm ohne vorherige Warnung mit voller Wucht ins Gesicht. Kelso fiel hin und blieb mit dem Gesicht im Staub liegen.

Man gönnte ihm diese Ruhe aber nicht lange. Noch während er versuchte, die gefesselten Hände unter das Gesicht zu schieben, wurde er am Strick über den steinigen Boden gezogen, bis er im dürftigen Schatten eines Busches lag.

Er glaubte, man habe das getan, damit er Kraft für den Weitermarsch sammeln konnte, aber sofort wurde er eines Besseren belehrt.

Auf ein Kommando des Anführers warf der Mann mit dem Strick dessen Ende über den Dornbusch hinüber, wo ein anderer zupackte, und zum offensichtlichen Vergnügen des Führers wurde er nun hinübergeschleift, bis sein ganzer Körper über dem dornigen Gestrüpp lag.

Der Schmerz war grauenhaft. Die fingerlangen Dornen durchbohrten seine Uniform und drangen tief ins Fleisch. Er mußte das Gesicht, so gut es ging, zur Seite drehen, um seine Augen zu schützen, aber er fühlte, wie ihm das warme Blut über die Wangen lief. Ihm war klar, daß ein einziger Dorn, der ihm ins Herz drang, zum Tode führen würde.

Mit zusammengebissenen Zähnen und ohne einen Laut von sich zu geben, lag er still. Jede Bewegung hätte ohnehin die Wunden nur noch vertieft.

Der Anführer mußte das ebenfalls festgestellt haben, denn er schlug Kelso plötzlich aufs Gesäß und drückte seinen Körper noch tiefer in die Dornen hinein.

»Was ist los?« lachte er. »Bist du noch immer müde von deinem Mädchen?«

Kelso vermochte nicht zu sagen, wie lange er dort gelegen hatte oder wie viele Dornen seinen Körper zerfleischt hatten. Als sie ihn endlich herunterzerrten, brach er blutüberströmt zusammen.

Er spürte kaum den heftigen Tritt in die Rippen. Der Strick straffte sich, und er merkte, daß er an den Handgelenken über den Boden geschleift wurde.

»Steh auf, Engländer!« Der Anführer stieß ihn mit einer Degenspitze. Als ein weiterer Fußtritt ihn auf den Rücken drehte, sah er, daß es sein eigener Degen war.

Er kämpfte sich mühsam auf die Knie, dann richtete er sich schwankend vollends auf.

»Bleib stehen, englisches Schwein. Du hast noch einen langen Weg vor dir.«

Des Anführers Kinn war dicht an seiner Schulter, sein Atem stank faulig nach Knoblauch.

Kelso bog den Kopf zurück und stieß ihm dann mit all seiner Kraft die gefesselten Fäuste zwischen die Augen.

Die Wucht des Schlages lähmte ihn fast, aber instinktiv zog er am Seil, und sowie dieses nachgab, griff er nach dem Degen.

Er hatte Glück und fing ihn auf. Dann wandte er sich nach rechts, wo der Mann mit der Muskete bereits auf ihn zielte. Mit beiden Händen packte Kelso den Degengriff und durchbohrte dessen Brust, bevor er abfeuern konnte.

Der Pirat brach röchelnd zusammen.

Noch immer benommen, sah Kelso, wie der Anführer rückwärts taumelte und laut fluchend die Hände vors Gesicht hielt. Eiskalt vor Wut, machte er einen Ausfall und stieß ihm den Degen in die Kehle.

Niemals würde er die Angst und das Entsetzen vergessen, mit dem der Angrianer ihn anstarrte, als seine Hände vom Gesicht niederglitten, während ihm bereits das Blut aus der Kehle quoll.

»Hilfe! Schnell, der Engländer flieht!« schrie der dritte Mann.

Angespornt durch die plötzliche Hoffnung auf Freiheit, wurde Kelsos Kopf völlig klar. Müdigkeit und Schmerz waren vergessen, als er den Hang hinaufjagte.

Die Kakteen und Dornbüsche, die ihn den ganzen Tag über behindert hatten, entpuppten sich jetzt als Verbündete. Da die

Gruppe so weit auseinandergezogen war, hatte niemand außer den dreien in der nächsten Umgebung ihn richtig sehen können.

Er rannte etwa fünfzig Schritte und warf sich dann unter einen Busch.

Fast im gleichen Augenblick kamen zwei Angrianer auf beiden Seiten dieses Busches vorbeigelaufen, keine fünf Schritte voneinander entfernt.

Als sie verschwunden waren, wandte er sich nach rechts und lief bergab zur See hin.

Diesmal rannte er, bis er total erschöpft war. Mit wild klopfendem Herzen und völlig außer Atem kniete er hinter einem Felsblock nieder, die Hände noch immer gefesselt, aber den Degen fest im Griff.

Der Lärm der Verfolger tönte über den ganzen Abhang. Rufe, Befehle, Verwünschungen und gelegentlich das Geräusch rennender Füße waren zu hören. Die Hauptrichtung der Jagd verlief bergauf, aber Stimmen in seiner unmittelbaren Nähe ließen ihn erkennen, daß auch ein oder zwei Häscher zum Absuchen der Flanken beordert worden waren.

Verzweifelt klemmte er den Degen zwischen die Knie und versuchte, den Strick daran zu durchschneiden. Es war jedoch schwieriger als gedacht. Geschwächt durch seine zahlreichen Wunden und den Blutverlust, mühte er sich ab, den Degen festzuhalten, und rieb seine Handgelenke an der Klinge auf und ab.

Er durfte keine falsche Bewegung machen – die Schneide war so scharf wie ein Rasiermesser. Um den Schweiß aus den Augen zu treiben, schüttelte er heftig den Kopf. Wahrscheinlich war es diese Bewegung, die ein Verfolger gesehen hatte.

Barfuß und mit einem Krummdolch in der Hand kam er gebückt wie ein Ringer auf ihn zu. Sein schwärzliches Gesicht war von einem Grinsen verzerrt, sicherlich erwartete er eine saftige Belohnung für seinen Fang.

»So, Engländer! Du denkst, du kannst entkommen!«

Scheinbar ergeben, sackte Kelso an seinem Felsblock zusammen, der Degen entfiel seinen kraftlosen Händen.

»Aufstehen, Engländer!« Der Angrianer fingierte einen Stoß mit dem Dolch.

Mit einiger Mühe kam Kelso wieder auf die Beine und wartete hilflos, die gefesselten Hände vor sich ausgestreckt.

»Du wirst ihn noch bereuen, diesen Fluchtversuch.« Der Pirat winkte ihn vorwärts. »Komm, Engländer.«

Um der Aufforderung Folge zu leisten, mußte Kelso über den nicht sehr hohen Felsblock klettern.

Mühsam erklomm er ihn und stand dann, unsicher hin und herschwankend, auf dessen Kante. Bis zum Boden waren es etwa vier Fuß.

Sein plötzlicher Sprung – mit angezogenen Knien – kam für den Angrianer völlig überraschend. Er stürzte schwer zu Boden und ließ den Dolch fallen. Bevor er sich wieder aufrichten konnte, lagen Kelsos gefesselte Handgelenke um seinen Hals.

Der Kampf war schnell entschieden. Während der Pirat sich aufzustehen bemühte, drückte Kelso ihm mit aller Kraft sein Knie in den Rücken und zog mit den Handgelenken des Gegners Kopf nach hinten.

Der Körper bog sich bis zum äußersten, bis das Genick brach. Kelso ergriff den Dolch und hob seinen Degen wieder auf.

Jetzt schaffte er es, die Fesseln zu durchschneiden. Er rieb sich die Handgelenke und lief weiter, immer noch in Richtung See.

Da es sicherlich nicht lange dauern würde, bis die Angrianer den leblosen Körper ihres Kameraden fanden, nahm er Kurs auf die Gallivaten, eine Richtung also, die sie bestimmt nicht erwarten würden.

Sobald die unmittelbare Gefahr vorüber war, ließen seine Kräfte merklich nach. Die Beine, die ihm bis vor kurzem noch so großartig gehorcht hatten, versagten ihm jetzt den Dienst. Sie schmerzten derartig, daß er sich fragte, ob er den Marsch noch lange würde fortsetzen können. Die zahlreichen Wunden hämmerten und pochten. Während er unter der glühenden Mittagssonne weiterwankte, verschwammen Kakteen, Felsblöcke und Dornbüsche vor seinen Augen wie Traumgebilde. Einige Male fiel er hin, dann wieder kroch er längere Strecken auf Händen und Knien, schließlich schlüpfte er unter einen Busch, gab der Ermüdung nach und schlief ein.

Als er erwachte, war es fast dunkel. Er stand auf und spürte sofort die frische Brise von See her; die Brandung war jetzt deutlich zu hören.

Er mußte ganz dicht über der Küste sein. Zurückblickend sah er die trostlose, felsige Landschaft und die Vorberge des fernen Gebirgsmassivs. Außer der Brandung hörte er kein anderes Geräusch, nur ab und zu das schleppende Kriechen der großen Echsen. Sonst nahm er keine andere Bewegung wahr. Mühsam kletterte er über Felsen und Büsche, bis er den Rand der Klippe erreichte.

Hier legte er sich auf den Bauch und blickte hinab. Ein Abstieg schien unmöglich. Dort, wo er lag, fiel die Steilküste mindestens hundert Fuß senkrecht ab, dann folgte ein Abhang voll loser Gesteinsplatten bis zu einem weiteren senkrechten Absturz. Kein Wunder, daß Balfour gesagt hatte, es gäbe keinen anderen Landeplatz.

Doch die Angrianer hatten einen gefunden!

Ihre Gallivaten ankerten eine Viertelmeile vor der Küste im Schutz des Vorgebirges. Selbst bei dem schwachen Licht konnte er dort ein kleines Stück Strand ausmachen. Er überlegte, ob die Verfolger noch immer nach ihm suchten.

Wie zur Antwort hörte er plötzlich sich nähernde Stimmen. Ein Trupp Angrianer kam direkt auf ihn zu.

Ihm blieb keine Zeit zum Nachdenken. Blitzschnell rollte er über den Rand und kletterte ein Stück hinunter. Während er mit den Füßen nach einem Halt suchte, klammerte er sich verzweifelt an einen Felsvorsprung.

22

Die Piraten kamen näher. Er hörte ihr Schimpfen, hörte die Ausreden, die sie sich wohl für das kommende Strafgericht zurechtlegten.

Der volle Umfang seiner Erschöpfung machte sich jetzt bemerkbar. Die Muskeln der Arme und Schultern schmerzten, die Füße, die sich gegen die Wand preßten, ohne einen rechten Halt zu finden, erlahmten. Langsam rutschten seine Finger von dem Fels ab. Voller Angst blickte er auf die Kante, die so dicht über ihm war. Würde er noch genug Kraft besitzen, um sich diese kleine Strecke hinaufzuziehen? Er dachte sogar an Hilferufe, gab diesen Gedanken aber sofort wieder auf. Wenn er schon sterben mußte, dann wollte er seinen Peinigern diesen Triumph nicht lassen.

Sie schienen eine Ewigkeit über ihm stehenzubleiben. Vielleicht waren es auch nur wenige Minuten, aber auf alle Fälle dauerte es lange genug, seine Finger langsam, aber stetig abrutschen zu lassen.

Als die Stimmen der Angrianer endlich in der Ferne verhallten, machte er eine letzte, verzweifelte Anstrengung, seinen Fußhalt zu verbessern. Die plötzliche Bewegung ließ seine Finger endgültig abgleiten, und er fiel hinunter in die Dunkelheit.

Der Sturz war lang und entsetzlich wie ein Alptraum. Mehrmals schlug er gegen Felsen, riß sich Hände und Knie auf, ohne dadurch den Absturz um mehr als Bruchteile von Sekunden zu verzögern. Jedoch war es möglicherweise diese winzige Verzögerung, die ihm das Leben rettete.

Er fiel zwanzig Fuß, dann wurde er auf einem Vorsprung vorübergehend abgebremst, stürzte aber sofort weitere zwanzig, dreißig Fuß, bis seine rechte Hand einen Felszacken ergriff, diesen Halt aber gleich wieder verlor. Sein letzter Absturz war dann ein Gleiten über steinigen Grund, Hände und Füße krallten sich in das Gestein, konnten aber die Fallgeschwindigkeit kaum bremsen.

Schließlich landete er rutschened auf einem Steilhang voll losen Gesteins. Er rutschte weiter, jedoch langsamer, da sich seine Füße und Hände nun knöcheltief ins Geroll gruben und als Bremsen wirkten.

Sein Kopf war völlig klar, und trotz der Dunkelheit wußte er genau, wo er war und was er zu tun hatte. Dieser Hang, dessen Länge er auf achtzig oder neunzig Yards schätzte, endete in einem weiteren Steilabsturz, der senkrecht zur See abfiel. Vorher mußte er zum Stillstand kommen, und zwar sofort!

Mit in das Geröll gepreßten Füßen drückte er gleichzeitig den ganzen Körper nach unten, die ausgestreckten Arme und Hände wirkten als Bremshebel.

Er hatte den Eindruck, daß die Geschwindigkeit seines Abrutschens sich endlich verringerte. Rechts und links von ihm prasselte eine Lawine aus Felsbrocken und kleinerem Gestein über die Kante in die tief unten liegende See. Er bohrte Hände und Füße noch fester in den Boden und kam schließlich unmittelbar vor dem Abgrund zum Stillstand. Seine Füße trafen auf einen Sims, der am Rand entlanglief, und der war glücklicherweise stark genug, ihn aufzuhalten.

Keuchend und mit geschlossenen Augen lag er auf dem Rükken, und ein ungeheures Gefühl der Erleichterung erfüllte ihn. Einen Augenblick lang vergaß er seine Erschöpfung, die schmerzenden Muskeln, die noch andauernde Gefahr.

Erst später, als seine Kräfte allmählich zurückkehrten, wurde ihm die Schwierigkeit seiner Lage bewußt. Auch wenn er erst einmal in Sicherheit war, so hing doch alles davon ab, ob die Felskante hielt und seine Beine auch weiterhin sein ganzes Körpergewicht stützen konnten. All das war äußerst fraglich.

Es gab nur eine Antwort: Irgendwie mußte er den schrägen Hang wieder hinaufklettern.

Nachdem er zehn Minuten oder auch länger still gelegen hatte, drehte er sich vorsichtig auf die Seite, und dann, mit noch größerer Vorsicht, auf den Bauch. Das war nicht einfach in der Dunkelheit, und seine Muskeln, die so gut erholt schienen, versagten ihm bald den Dienst. Es gab noch einen kritischen Augenblick, als sein Fuß abrutschte, aber er fing sich und lag dann schwer atmend, das Gesicht gegen das Gestein gepreßt, auf dem Bauch.

Er war nicht nur erschöpft, sondern auch durstig. Seine Wunden, seine Erschöpfung, ja selbst die schmerzenden Muskeln, das alles war nichts im Vergleich zu seinem brennenden Durst. Er hatte nichts mehr getrunken seit dem Morgenkaffee, den Padstow ihm in die Kajüte gebracht hatte. Voll Sehnsucht dachte er an den Bach, der so klar aus den Bergen herabfloß und dann in die Lagune mündete. Er dachte an die Wasserfälle, die Stromschnellen, wo die Ufer eng zusammentraten, und an den klaren Teich, in dem die Leute gebadet hatten.

Und in diesem Augenblick kam ihm die Erleuchtung: Er wußte jetzt, wo der Schatz der *Marie Galante* versteckt war.

Dieses Wissen, oder wenigstens die ziemlich sichere Gewißheit, gab ihm neue Kräfte und ließ ihn seinen quälenden Durst vergessen. Langsam, aber mit einer Entschlossenheit, die keine Schwierigkeiten gelten ließ, begann er zu klettern. Wenn er fand, daß seine jeweilige Fußstütze nicht tief genug war, um sein Gewicht zu tragen, grub er diese mit der freien Hand tiefer, bis sie ihm ausreichend erschien. Bei dieser Tätigkeit lag er wie gekreuzigt auf den Schieferplatten.

Der Fortschritt war minimal. Für jeden Halt seiner Füße – oft nur wenige Zoll voneinander entfernt – mußte er mühsam ein Loch graben.

Aber er fuhr grimmig entschlossen fort und dachte vorläufig nicht daran, daß dann ja noch immer die senkrechte Klippenwand vor ihm aufragen würde, auch wenn er den Schräghang überwunden hatte.

Es war wohl etwa Mitternacht, als er endlich die Felswand erreichte. Sein Herz hämmerte wild, die Verletzungen durch die Dornen und die beim Sturz erlittenen Abschürfungen schmerzten schier unerträglich. Die Zunge lag ihm unförmig geschwollen im ausgetrockneten Mund.

Mühsam richtete er sich auf, bis er sich auf unsicheren Beinen an die Klippenwand lehnen konnte. Als er aufblickte, sah er nur die glatte Felswand und darüber den sternenübersäten Himmel. Langsam wurde ihm klar, daß er ausruhen mußte und vor Tagesanbruch nichts unternehmen konnte.

Mit unendlicher Vorsicht und unsäglicher Geduld hob er eine Vertiefung im Geröll aus, und als diese groß genug war, um ihn aufzunehmen, setzte er sich hinein und wartete.

Die Nacht stellte seine Ausdauer auf eine harte Probe. Obwohl die Mulde so groß war, daß er einigermaßen bequem darin sitzen konnte, durfte er dennoch nicht einschlafen. Total erschöpft, halb wahnsinnig vor Schmerzen und Durst, mußte er dasitzen und das einzige abwehren, das ihm Erleichterung und Erholung hätte bringen können, den Schlaf.

Zu seiner Rechten, aber unendlich weit unten, sah er schwache Lichtpunkte; die vor Anker liegenden Gallivaten. Sonst umgab ihn tiefe Dunkelheit.

Irgendwann während seiner Nachtwache mußte er wohl doch eingeschlafen sein, denn als er die Augen öffnete, entdeckte er zu seiner Freude die ersten grauen Streifen der Dämmerung. Zwar war er steif und völlig unterkühlt, aber mit dem neuen Tag erwachte in ihm auch neue Hoffnung.

Gebannt beobachtete er, wie das Grau sich in Gelb und dann in Gold wandelte. Vögel, die auf der Klippe übernachtet hatten, breiteten die Schwingen aus und schwebten seewärts. Außer den beiden Gallivaten war kein Schiff am Horizont zu sehen.

Als es heller wurde, massierte er Arme und Beine und befühlte seine bös zugerichteten Hände, um sich für den Anstieg in der Felswand vorzubereiten. Ob dies klug war, kümmerte ihn nicht, denn er hatte keine andere Möglichkeit. Wenn er nicht an Ort und Stelle oder weit unten auf den Felsen in der donnernden Brandung sterben wollte, blieb ihm keine andere Wahl als zu klettern.

Vorsichtig stand er auf. Vor Schmerz schloß er die Augen, als seine verletzten Hände den Fels berührten und die zitternden Beine sich bemühten, den Körper zu tragen. Alles verschwamm ihm vor Augen, er glaubte zu fallen. Dann blickte er abwärts, aber nur eine Sekunde lang, musterte den steilen Hang, der zum Rande des Abgrundes und dann weiter zur See und den schroffen Felsen unten führte.

Dann nahm er alle Kräfte zusammen und blickte nach oben, wo er nach einer Aufstiegsmöglichkeit Ausschau hielt. Zu seiner Erleichterung entdeckte er hier und da kleine Risse oder Vorsprünge, die einem beherzten Mann Halt für Hände oder Füße bieten konnten. Entschlossen griff er zum nächsten Vorsprung.

»Dort liegen sie, die verdammten Heiden!« Die *Paragon* sollte hinsegeln und alle beide versenken!«

»Padstow!« Kelso glaubte zu träumen. Als er nach oben blickte, sah er jedoch nur Felswand und Himmel.

»Am besten gehen wir hinunter und sehen nach – für den Fall, daß der Captain noch an Land ist.« Die Stimme entfernte sich.

»Padstow!« Kelso schrie nochmals, voller Angst, daß sie ihn nicht hören würden.

»Captain, Sir!«

Es war kein Irrtum; das runde, lachende Gesicht war nicht zu verwechseln, und es tat Kelso unendlich wohl, den Ausdruck ungläubigen Staunens darauf zu sehen.

»Padstow, wie, zum Teufel, kommt ihr hierher, und gerade in diesem Augenblick?«

»Wir durchsuchen die gesamte Insel, Sir, den ganzen gestrigen Tag und die letzte Nacht. Einige haben Sie schon fast aufgegeben.«

»Ich bin noch nicht am Ende, Padstow, noch nicht ganz – wenn ich nur diese verdammte Klippe hier überwinden kann.«

Padstow beugte sich gefährlich weit über den Rand, um die Wand zu begutachten. »Es ist schwierig, Sir, aber nicht unmöglich. Meinen Sie, daß Sie es schaffen können?«

»Ich weiß nicht. Habe die ganze Nacht hier zugebracht.«

»Zum Teufel, Sir, dann sind Sie bestimmt nicht in der Verfassung, es allein zu schaffen.«

»Haben Sie ein Tau?«

»Nein, Sir, aber mein Kamerad hier ist Toppmatrose, für den ist die Wand kein Problem.«

»Will er es versuchen? Es ist bestimmt nicht einfach.«

»Für ihn doch, Sir.« Padstow wandte sich zur Seite und sprach mit jemandem, der noch nicht zu sehen war. »Kletterst du hinunter und hilfst dem Captain?«

Ein zweiter Kopf und ein Paar Schultern erschienen oben am Klippenrand, ein wohlvertrauter Kopf mit fast weißem Haar und blondem Bart.

»Bostick!« Kelsos Stimme bekam unwillkürlich einen schärferen Klang. »Was tun Sie denn hier?«

»Ich suche nach Ihnen, Sir.«

Kelso schloß die Augen. Es war schwierig für ihn, in seinem geschwächten Zustand klar zu denken, Wenn Bostick, wie er vermutete, einer von Lamonts Leuten war, was tat er dann hier? Wer hatte ihn geschickt und zu welchem Zweck?

»Ich hole Sie gleich nach oben, Sir, wenn Sie gestatten.«

Es blieb ihm nichts anderes übrig. »Gut, aber ich bin nicht imstande zu klettern. Da wir kein Tau haben, müßt ihr Schlingpflanzen suchen. Da ist ein Dickicht, etwas weiter landeinwärts, soweit ich mich erinnere. Dichtes Unterholz, dort müßt ihr suchen.«

»All right, Sir.« Padstows Mondgesicht hellte sich auf. »Nicht weiter als eine Viertelmeile. Bin gleich wieder zurück.«

Er war verschwunden, bevor Kelso noch etwas erwidern konnte. Jetzt kamen ihm Zweifel, die auch die Müdigkeit nicht verscheuchen konnte. Warum war Bostick hier? Wie weit konnte er ihm trauen? Selbst wenn sie sich alle in ihm getäuscht hatten – was unwahrscheinlich war – konnte er sich auf Bosticks Hilfe verlassen?

Er fühlte sich schwindlig vom konzentrierten Aufwärtsschauen und schloß die Augen. Als er sie wieder aufschlug, klebte Bostick bereits wie eine Riesenspinne an der Wand.

»Vorsicht!«

Er wurde fast seekrank, als er den Toppmatrosen an der glatten, senkrechten Felswand herunterklettern sah, als sei es ganz einfach. Bostick war offensichtlich einer der Männer, die keine Furcht kannten, für die jede Gefahr nur eine Herausforderung bedeutete, die durch Kraft gemeistert werden mußte. Jahre des Dienstes in der Takelage hatten ihm eine derartige Sicherheit und ein solches Selbstvertrauen gegeben, daß dieser schwierige Abstieg ihm ein Kinderspiel schien.

Er rutschte und sprang die letzten zehn Fuß herab und landete neben Kelso in der kleinen Mulde.

»Nun, Sir, hier bin ich.«

Es war unmöglich, die Gedanken hinter diesem bärtigen Gesicht und im zurückhaltenden Blick zu lesen. Einen Augenblick lang herrschte absolute Stille, nur in der Ferne hörte man den Schrei der Möwen und das dumpfe Geräusch der Brandung zweihundert Fuß weiter unten.

»Warum sind Sie gekommen, Bostick?«

»Sir?«

»Warum sind Sie nicht an Bord geblieben?«

Bostick blickte ihn verständnislos an. »Es wurden Freiwillige gesucht, Sir.«

Ein neues Übelsein befiel Kelso, er taumelte und wäre gestürzt, hätte Bostick ihn nicht aufgefangen. In seiner Verwirrung kam ihm der Gedanke, daß ein kleiner Stoß genügen würde, ihn in den Tod zu schicken. In seinem geschwächten Zustand, den Padstow gesehen hatte und bezeugen konnte, war es unmöglich nachzuweisen, daß es sich nicht um einen Unfall handelte.

»Sie sollten sich lieber hinsetzen, Sir – bleiben Sie ganz ruhig, bis Padstow zurückkommt.«

Kelso lehnte sich mit dem Rücken gegen die Felswand, und Bostick half ihm beim Hinsetzen. In der kleinen Mulde war kaum Platz genug für sie beide. Ein winziger Stoß von Bostick hätte genügt, ihn nach unten zu befördern.

»Kommen Sie, setzen Sie sich neben mich, Sie müssen müde sein nach Ihrem Marsch. Wie lange sind Sie schon unterwegs?«

Mit Erleichterung sah Kelso, daß Bostick sich nach einem kurzen Zögern neben ihm niederließ. Seine langen Beine ragten dabei weit über den Rand der Mulde hinaus.

»Die ganze Nacht, Sir – gestern abend sind wir losgegangen.«

»Weiß Mr. Fenton davon?«

»Sir?«

»Haben Sie von ihm die Erlaubnis bekommen?«

»Ja, natürlich, Sir. Wie ich Ihnen schon sagte, wurden Freiwillige gesucht.«

Trotz seiner Müdigkeit lauschte Kelso auf irgendein Anzeichen von Spott oder Hohn in Bosticks Stimme, aber nichts dergleichen war herauszuhören. Er betrachtete dessen Profil gegen das Sonnenlicht, den festen, eigensinnigen Mund, die schmutzige Stirn, auf die der Schweiß Streifen gezeichnet hatte, und die gerade Nase. Dann fragte er nochmals: »Warum sind Sie gekommen?«

Diesmal verstand der Riese den Sinn seiner Frage. Vielleicht hatte er sie auch schon beim ersten Mal richtig aufgefaßt. »Sie irren sich in meiner Person, Sir. Bitte um Entschuldigung, aber ich weiß wirklich nichts von diesen Piraten, mein ganzes Leben lang war ich bei der Kompanie.« Er zögerte. »Aber Sie hatten recht, sich über mich zu ärgern, Sir, weil ich nach dieser Frau griff – ich wollte ihr nichts zuleide tun.« Mit seiner schwieligen Hand machte er eine entschuldigende Gebärde. »Wie konnte ich wissen, daß sie Ihnen gehörte?«

»Das war nicht der Grund, weswegen ich Sie einsperren ließ«, entgegnete Kelso scharf. Noch immer beobachtete er Bosticks Gesicht, und an dem plötzlich wieder verschlossenen Ausdruck erkannte er, daß dieser ihm nicht glaubte. »Mann Gottes! Sie denken, ich ließ Sie im Orlop schwitzen, weil Sie sich an meinem Mädchen vergriffen hatten?«

Bostick blickte über die See, ohne zu antworten. Dann sagte er zögernd: »Ich weiß nicht, was ich anderes denken soll, Sir.«

Kelso zog die Knie an und wechselte seine Stellung, die allmählich unbequem wurde. Als er dabei den steilen Hang hinab und auf die scharfe Kante blickte, von der aus der Fels senkrecht ins Meer abfiel, fühlte er, daß er der Wahrheit nahe war. »Wollen Sie mir weismachen, daß nicht Sie es waren, der bei den Seychellen vom Vorschiff aus signalisiert hat; und daß es nicht Ihr Spiegel war, den wir dann fanden?«

Jetzt wandte sich Bostick ihm voll zu. »Wenn überhaupt jemand signalisiert hat, Sir, war ich es bestimmt nicht, und das ist bei Gott die Wahrheit.«

»Und das andere Mal, vor drei oder vier Nächten, als jemand mit einer Lampe signalisierte?«

»Auch das war ich nicht, Sir.«

»Sie haben Ihre Zelle nicht verlassen, obwohl die Tür offenstand?«

»Ich habe geschlafen, Sir, Tatsache!« Der Matrose zögerte. »Um Ihnen die Wahrheit zu sagen, Sir: Bis zu diesem Augenblick glaubte ich nicht, daß überhaupt jemand signalisiert hätte. Ich dachte, daß Sie . . .« Er brach ab.

»Daß ich das Ganze nur als Vorwand benutzt hätte, um Sie zu bestrafen – wegen des Mädchens?« Ärgerlich fuhr Kelso fort: »Um Gottes willen, was für ein Mensch bin ich in Ihren Augen?«

Bostick senkte den Kopf. »Es war nicht richtig, Sir, tut mir leid.« Er betrachtete angelegentlich seine Hände. »Jetzt weiß ich nicht mehr, was ich von der ganzen Sache halten soll.«

Bei den beiden Gallivaten erkannte man trotz der großen Entfernung eine gewisse Geschäftigkeit. Zwei Boote legten ab und fuhren an Land.

»Und in der Nacht, als wir schleppten?« fuhr Kelso fort. »Wollen

Sie mir weismachen, daß der Unfall keine Absicht war?«

»Ja, Sir, wenigstens ...« Der Toppmatrose war offensichtlich verwirrt. »Sie wollen die Wahrheit hören, Sir, und die Wahrheit ist: es war ein bißchen von beidem.«

»Was heißt das?«

»Ich war wütend, Sir, das gebe ich zu, wütend und verwirrt. Zuerst wurde ich beschuldigt, mit einem Spiegel, der zwar mein Initial trug, aber mir nicht gehörte, irgendwelchen Piraten signalisiert zu haben, von denen ich zwar gehört, die ich aber nie gesehen hatte. Verzeihung, Sir, aber ich konnte nicht glauben, daß dies alles stimmte.«

»Es stimmte schon; irgendeiner hat signalisiert.«

»Und dann, Sir, obwohl Sie und Mr. Fenton mich beschuldigten, geschah nichts. Ich dachte, wenn der Kommandant mich die siebenschwänzige Katze kosten lassen will, warum tut er's dann nicht? Was hält ihn davon ab?« Verlegen wandte er sich wieder Kelso zu. »Dann, Sir, als das Tauwerk angeschnitten wurde, dachte ich ... Sir, ich war völlig durcheinander.«

»Sie dachten, ich hätte es anschneiden lassen, um Ihnen die Schuld in die Schuhe zu schieben?« Als Bostick nicht antwortete, fuhr Kelso auf: »Ihr Glück, Bostick, daß Sie mir das alles unter diesen Umständen hier erzählen. Ich bin tief in Ihrer Schuld, und wahrscheinlich in Kürze noch viel tiefer, aber wenn Sie all das wirklich von Ihrem Kommandanten gedacht haben ...«

»Tja, Sir, ich war völlig durcheinander. Wie ich schon gesagt habe, ich wußte nicht, was ich davon halten sollte, aber als Sie mich in die Gig schickten, da – nun, ich dachte, was ich auch tue, ich werde ja doch bestraft, und wenn der Kommandant es so haben will ...«

»Also entschlossen Sie sich, etwas zu tun, wofür Sie wirklich eine Bestrafung verdienten?«

Bostik machte eine abwehrende Handbewegung. »Nicht ganz so, Sir. Ich habe nichts absichtlich getan, bestimmt nicht. Vielleicht war ich ein wenig unachtsam. Um ehrlich zu sein, Sir, ich glaube, unter anderen Umständen wäre mir das nicht passiert. Und dann nachher – nicht weil ich Strafe erwartete, die ich ohnehin bekommen würde, das war mir klar, aber ich hatte Angst, daß jemand ertrinken könnte.«

»Sie haben Glück gehabt, niemand ist ertrunken.«

Kelso atmete tief ein. Die Sonne stand jetzt ganz über dem Horizont, nur Nebelschleier schoben sich darüber. Die Küste im Süden, über deren schroffe Felsklippen die Gischt der Brandung spritzte, verschwand bereits, und auch die Gallivaten waren der Sicht entzogen. Ein neuer Tag zog herauf, der neue Probleme, neue Entscheidungen mit sich bringen würde – vorausgesetzt natürlich, daß er die Steilwand erklettern konnte.

Das würde völlig von Bostick abhängen. Wenn dessen Erzählung stimmte – und er war jetzt durchaus geneigt, ihm zu glauben –, konnte er ihm auch vertrauen. Sie mußten dann woanders nach dem Verräter suchen.

Wenn sie dagegen nicht stimmte, mußte er das Risiko trotzdem eingehen.

Auf alle Fälle konnte er die Wand nicht ohne fremde Hilfe bezwingen. Seine Arme und Beine schmerzten vor Überanstrengung, und seine Hände waren bis aufs rohe Fleisch abgeschürft.

Sollte Bostik jedoch wirklich einer von Lamonts Leuten sein, welche Hilfe war dann von ihm zu erwarten? Möglicherweise hatte er den eindeutigen Auftrag, ihn bei passender Gelegenheit umzubringen?

Noch erwog Kelso dieses Problem, als sie von oben Padstows Stimme hörten.

»Hier bin ich, Sir. Tut mir leid, daß es so lange gedauert hat.«

»Haben Sie die Ranken?«

»Was Besseres, Sir. Dort wächst Wein, der ganze Hang ist voll davon. Ich habe einige Längen abgeschnitten und zusammengeflochten. Das ist so gut wie jedes Tau und so lang, daß es bis zu Ihnen hinunterreicht.«

»Wie stark ist es?«

»Stark genug, Sir. Ich habe es an einen Baum gebunden und daran geschaukelt wie ein Bursche auf dem Jahrmarkt.« Padstows wettergebräuntes Gesicht verzog sich zu einem breiten Grinsen. »Nur bin ich kein Bursche mehr, Sir, und was mich tragen kann, trägt ein Leichtgewicht wie Sie allemal, Verzeihung, Sir.«

Das stimmte wahrscheinlich. Obwohl Kelso fast einen Kopf größer war, konnte er, was das Gewicht betraf, nicht mit seinem Steward konkurrieren.

»Ich binde es hier oben fest, Sir.«

»Woran?«

»An einen Busch, Sir, das ist alles, was es hier gibt.«

»Hoffen wir, daß er tiefe Wurzeln hat.«

Kelso und Bostick blinzelten gegen das Licht nach oben, als Padstow jetzt die ineinander verflochtenen Weinranken vom Klippenrand herunterließ. Sie waren nicht ganz so lang, wie er gedacht hatte, das Ende schwebte noch immer ein bis zwei Fuß hoch über dem Boden. Es gelang Bostick jedoch, eine Schlinge zu knüpfen, in die Kelso mit des Matrosen Hilfe einen Fuß steckte.

Kaum konnte er einen Schmerzensschrei unterdrücken, als er mit seinen abgeschürften Händen in die Weinranken griff. Seine Arme und Beine waren völlig kraftlos, aber mit Bosticks Hilfe begann er, sich nach oben zu ziehen.

Frei in der Luft schwingend, wenn auch nur ein paar Zoll von der Wand entfernt, hielt er sich mit der Rechten an der Ranke fest, während er sich mit der geballten Linken vom Fels abstieß, um die verletzte Handfläche zu schonen. Bostick kletterte neben ihm hinauf, und Padstow zog ihn langsam nach oben, wobei er abwechselnd keuchte oder fluchte. Schließlich hatten sie es geschafft, und Kelso sank erschöpft auf dem Plateau zu Boden.

24

»Wir brauchten jeden einzelnen Mann«, erklärte Fenton. »Wir mußten den Bordbetrieb aufrechterhalten, mußten nach Ihnen fahnden und die Schatzsuche zumindest eingeschränkt weiterbetreiben. Ich war der Meinung, daß es das Risiko wert war.«

»Wie sich zeigte«, bemerkte Kelso, »hatten Sie recht. Zusammen mit Padstow hat er mich nicht nur gefunden, sondern auch die Felswand hinaufgeschafft, was nur einem Mann von seiner Kraft und seiner Erfahrung als Toppsgast möglich war.«

Kelso hatte den ermüdenden Rückweg vom Plateau durch die vor Hitze flimmernde Schlucht hinter sich und war völlig erschöpft. Jetzt lag er nackt in einem Tümpel am Rand der Lagune, fühlte, wie das Salzwasser seine Wunden ausbeizte, seine schmerzenden Muskeln entspannte und wie sich sein Interesse am Schatz neu belebte.

Fenton saß ein wenig linkisch auf einem Felsblock, offensichtlich verlegen angesichts der Nacktheit seines Kommandanten, und sagte: »Es scheint, wir haben uns in Bostick geirrt.«

»*Ich* habe mich geirrt. Wenn er einer von Lamonts Leuten gewesen wäre, hätte er heute genügend Gelegenheit gehabt, mit mir abzurechnen. Er hat nichts dergleichen getan.«

»Aber irgendjemand hat signalisiert.«

Kelso nickte. »Was hat sich gestern hier abgespielt, als ich gefangengenommen wurde?«

»Ich war nicht an Land, wie Sie wissen. Craig erfuhr davon, als das Mädchen zum Strand gerannt kam. Er handelte sofort. Die meisten Leute waren im Wald, wie Sie angeordnet hatten, aber er schickte fünf Mann unter Crane . . .«

»Crane! Ich nehme an, er war mehr daran interessiert zu bleiben und Irina zu trösten!«

Fenton machte ein unbehagliches Gesicht. »Ich weiß nicht, Sir. Ich hörte erst davon, als Ihre Gig mit einer Nachricht von Craig eintraf. Danach entschloß ich mich, Bostick mit einzusetzen.«

Kelso legte sich zurück und dehnte behaglich die Glieder im warmen Wasser. Die Sonne schien jetzt kurz vor Mittag sehr heiß, aber hier am Rande der Lagune war die Luft frisch.

»Wie kamen Sie auf Bostick?«

»Er war an Deck, Sir, wie Sie gestattet hatten. Dann kam er zu mir und bat um Erlaubnis, mitgehen zu dürfen.«

»Aus welchem Grund?«

»Sorge um Sie, Sir.« Fenton spreizte die Hände. »Schien mir echt zu sein.«

Zögernd stieg Kelso aus dem Tümpel. Als er aufstand, glitzerte das Sonnenlicht auf seinem nassen Körper. Padstow kam angelaufen und reichte ihm ein Handtuch.

»Letzte Nacht auf der Klippe«, sagte Kelso, »habe ich nachgedacht, und es schien mir unglaubhaft, daß Balfour uns nicht irgendeinen Hinweis auf den Schatz hinterlassen haben sollte.«

»Ich habe auch daran gedacht«, erwiderte Fenton, »aber welchen? Wir haben in der Schutzhütte nichts gefunden. Könnte es sein, daß der Schatz mit ihm zusammen begraben worden ist?«

Kelson unterbrach das heftige Frottieren seines Körpers. Durch das Bad und das kühle Wasser aus dem Bach, das er getrunken hatte, fühlte er sich so erfrischt, daß er bereits wieder vor Ungeduld brannte, die Suche fortzusetzen.

Oben in der Schlucht verriet ein roter Farbtupfer die Position eines Postens der Marineinfanterie. Die Rufe von Seeleuten, die den Wald durchsuchten, hallten bis zu ihnen.

»Ich habe an die Nachricht gedacht, die er uns hinterlassen hat«, sagte Kelso. »Ist es nicht möglich, daß sie einen Fingerzeig enthält?«

Fenton schürzte die Lippen. »Das ist wohl möglich, aber für mich zu schwierig.«

»Sie haben sie nicht bei sich?«

»Nein, Sir. Ich nehme an, sie ist in Ihrer Kajüte.«

»Ja.« Dabei kam ihm ein anderer Gedanke. »Was ist mit Irina?«

»Sie blieb an Bord. Ich hielt es nicht für angebracht, heute morgen unsere Arbeit behindern zu lassen.« Er zögerte und wurde rot. »Ich meine, Sir, nach den gestrigen Ereignissen hätte sie besonderen Schutz benötigt –«

»Sie haben vollkommen recht«, erwiderte Kelso. »Ich habe versucht, mich an den genauen Wortlaut zu erinnern: Da war doch etwas von einem Teich.«

»Stimmt. Wir haben das natürlich in Betracht gezogen und erörtert, aber dann als bedeutungslos abgetan.«

»Ja, aber letzte Nacht, als ich nicht wagen durfte einzuschlafen, habe ich darüber nachgedacht. In einem Absatz, dem vorletzten, spricht Balfour über den Bach und einen Teich.«

»Stimmt, Sir.« Fenton deutete auf das Ende des Strandes. »Diesen Teich.«

Kelson warf Padstow das Handtuch zu und griff nach seinem Hemd. »Aber ist es wirklich dieser? Ich bin dessen nicht so sicher.«

Fenton entgegnete: »Ich wünschte, ich könnte mich an den genauen Wortlaut erinnern, aber da steht etwas davon, daß sie in dem Teich Trost fanden nach der unbarmherzigen Sonne.«

»Nach dem Durchsuchen der kahlen Hänge und des Waldes?«

Fenton nickte. »Stimmt, Sir.« Sein Gesicht hellte sich auf, er schien zu begreifen. »Sie meinen, er wollte uns mitteilen, daß der Schatz weder in der Schlucht noch im Wald verborgen ist?«

»Genau das meine ich.«

»Aber dann muß er am Strand sein, was mir kaum möglich erscheint, oder in dem Teich. Aber dort haben wir alles durchsucht, nicht einmal, sondern mindestens ein dutzendmal. Es gibt kein mögliches Versteck, das wir nicht untersucht hätten.«

»Das dachte ich auch, gestern abend«, warf Kelso ein. »Aber dann kam ich bei meinen Überlegungen wieder zurück auf den Teich, und da fehlte mir der genaue Wortlaut.«

»Zehn Mann und mehr haben dort gleichzeitig gebadet? War es nicht so?« erinnerte sich Fenton.

»Das stimmt. Das war es, wonach ich suchte, und das mich darauf bringt, daß wir vielleicht alle auf der falschen Spur waren. Vielleicht haben wir nicht den richtigen Teich durchsucht.«

Während er sich noch bemühte, in sein Hemd zu schlüpfen, führte er Fenton über die feste Oberfläche des vom Wasser überspülten Strandes, bis sie zu der gurgelnden Mündung des Baches kamen. Ein wenig oberhalb, durch einen natürlichen Steinwall gebildet, lag der Teich.

Er war jetzt leer, aber seine Ränder waren von Hunderten von

Fußtritten gezeichnet, wo die Besatzung fröhlich im Wasser geplanscht hatte. Eine Magnolie, auf die sie ihre Sachen zu hängen pflegten, stand jetzt jeglicher Blütenpracht beraubt da.

»Wie viele Leute konnten hier zur gleichen Zeit baden?« fragte Kelso, »dreißig? vierzig?«

»Mehr. Gestern hatten wir eine ganze Wache der *Paragon* hier, die alle zugleich im Wasser waren.«

»Aber Balfour spricht von *zehn Mann und mehr – gleichzeitig*, als wäre es unbequem, wenn mehr Leute hineinstiegen.«

»Richtig. Jetzt, da Sie es erwähnen, merke ich das auch. Sie meinen, er wollte unsere Aufmerksamkeit auf einen anderen Teich lenken?«

»Das eben müssen wir herausfinden.«

Als er mit Anziehen fertig war, blickte er hinüber zur *Paragon*, die jenseits des Riffs vor Anker lag, und weiter draußen zur *Mouette*.

Durch Fentons Glas konnte er das Heck des französischen Schiffes sehen, wo ein einziger Ausguckposten an der Reling lehnte. Alle Segel waren festgemacht bis auf das Bramsegel des Vormasten.

»Sieht ruhig genug aus. Wenn irgendetwas geschieht, kann uns Archibald mit einem Kanonenschuß alarmieren.«

Zusammen mit Fenton und Padstow ging Kelso in den Wald.

Sie folgten dem Verlauf des Baches, schoben sich durch blühende Büsche und durch Unterholz, das die Ufer säumte. Manchmal sanken sie bis zu den Knöcheln im Schlamm ein, dann wieder mußten sie über Felsen klettern. Sie kamen vorbei an Wasserfällen, an Dämmen, die aus abgebrochenen Zweigen gebildet wurden, und an mehr als einem Teich.

Aber Kelso suchte nach einem besonderen Teich, nach einem, in dem nur zehn oder höchstens ein Dutzend Leute baden konnten, und der in bequemer Reichweite vom Strand lag.

Sie fanden ihn schneller als erwartet. Nach zehn Minuten Kletterei kamen sie an einen kleinen Teich, nicht größer als der Grundriß seiner Kajüte, dessen Oberfläche durch den Wasserfall, der ihn speiste, ständig gekräuselt war.

»Das ist er.«

Er war sich seiner Sache ganz sicher. Der Wasserfall, etwa fünf Fuß hoch und zwanzig Fuß breit, warf ständig einen natürlichen Schleier über die Oberfläche des Tümpels.

»Hinein, Padstow!« rief Kelso. »Wenn ich mich nicht täusche, werden Sie irgendwo auf dem Grund eine Schatzkiste finden.«

Ohne Kleidung gewann Padstow, dessen stämmiger, untersetzter Körper muskelbepackt war, eine ganz neue Würde. Er wirkte fast wie eine Heldenstatue, als er in strammer Haltung auf dem hohen Felsblock stand, von dem er dann mit kühnem Kopfsprung hineinhechtete.

Einen Augenblick schwamm er noch an der Oberfläche, dann hoben sich sein Kopf und die mächtigen Schultern empor, er holte tief Luft und verschwand.

Es dauerte lange, bis er wieder nach oben kam. Als sein rotes Gesicht, mit weit offenem Mund nach Luft schnappend, endlich wieder auftauchte, hatte sich Kelso schon Sorgen gemacht, da er es für unmöglich hielt, daß jemand so lange unter Wasser bleiben könne.

»Nun?«

»Es ist tief, Sir. Mußte wieder heraufkommen, sonst wäre es aus mit mir gewesen.«

»Haben Sie den Grund erreicht?«

»Knapp, Sir. Muß mindestens zwanzig, dreißig Fuß tief sein.«

Kelsos Hoffnung schwand dahin. Vielleicht war der Teich tiefer, als Balfour vermutet hatte? Selbst wenn sie in dieser Tiefe etwas fanden, mußte es schwierig, wenn nicht gar unmöglich sein, eine schwere Kiste an die Oberfläche zu bringen.

»Können Sie es noch einmal versuchen?«

»Gut, Sir, aber erwarten Sie nicht zu viel.«

Padstow wälzte sich wie ein Delphin vornüber und verschwand. Diesmal blieb er noch länger unten, und als er nach einer schier endlosen Zeit wieder auftauchte, wußte Kelso, daß er den Schatz nicht gefunden hatte.

»Diesmal kam ich gleich bis auf den Grund, Sir«, keuchte er, »und suchte bis zum letzten Augenblick, habe aber nichts gefühlt – außer Steinen.«

»*Gut*, Padstow. Kommen Sie jetzt lieber heraus.«

»Soll ich es nicht nochmals versuchen, Sir?«

»*Ein letztes Mal.*«

Diesmal war ihm schon vor Padstows Auftauchen klar, daß sie gescheitert waren.

Die Niederlage wollte er sich jedoch nicht eingestehen. Als er seinem Steward die Hand reichte, um ihn an Land zu ziehen, überdachte er noch einmal, was Balfour hier getan haben konnte. Hätte er einen derartig wertvollen Schatz in einen Teich geworfen, ohne dessen Tiefe zu kennen? Die ihm zur Verfügung stehende Zeit war zwar nur kurz gewesen, und sichere Verstecke waren rar. Aber Balfour war ein intelligenter Mann, seine beiden Botschaften ließen das klar erkennen. Bestimmt hatte er ein besseres Versteck gefunden.

»Vielleicht gibt es noch einen anderen Teich«, warf Fenton ein. »Schließlich sind wir erst zehn Minuten vom Strand entfernt.«

»Wir können ja noch einmal nachschauen.«

Sie fanden zwei weitere Teiche. Einer, nur runde hundert Yards stromaufwärts, war zu klein und zu flach, der andere mehr als eine halbe Stunde vom Strand entfernt. Beide kamen also nicht in Frage.

Es war bereits später Nachmittag, als sie ihre Schritte am Bachufer entlang zurücklenkten. Die tiefe Enttäuschung ließ Kelso wieder seine Erschöpfung spüren. In einer halben Stunde mußte es dunkel sein.

»Der erste Teich«, sagte er eigensinnig, »war der richtige.«

Es war schon ziemlich düster, als sie endlich am Rand des Tümpels standen und in das unruhige Wasser starrten. Sollten sie es noch einmal versuchen?

»Was halten Sie von einem letzten Versuch, Padstow?« fragte er.

»Klar, Sir, ich bin dabei.«

»Ich komme diesmal mit Ihnen.«

Als sie sich auszogen, sagte er zu Fenton, der kein guter Schwimmer war: »Halten Sie die Augen auf. Ich glaube zwar nicht, daß die Angrianer die Schlucht heruntergekommen sind, aber wir wollen kein Risiko eingehen.«

»Gut, Sir.«

Man hörte das Rufen der Suchtrupps aus dem Wald. Kelso legte seine Sachen auf einen Stein am Rande des Tümpels, nahm sie aber noch einmal auf und legte sie weiter entfernt nieder, da er das Sprühen vom Wasserfall her spürte. Schließlich wollte er nicht in der Abendkühle mit einem feuchten Hemd an Bord zurückkehren.

Als er sich bückte, sah er etwas neben dem Felsen. Er betrachtete es genauer aus der Nähe und rief dann Fenton zu: »Sehen Sie sich das an!«

Am Rand des Wasserfalls war der Abdruck eines Schuhes zu sehen. Sohle und Hacke waren klar zu erkennen, obwohl der Abdruck nicht neu zu sein schien. Er konnte nur vom Schuh eines Offiziers stammen.

»Was halten Sie davon, Sir?« fragte Fenton. »Das war wohl einer der Leute von den Suchtrupps.«

»Ein Offiziersschuh – von dieser Form? Welcher Offizier auf der *Paragon* trägt denn solche Absätze?«

»Ich weiß nicht, Sir – keiner, glaube ich. Sie meinen, er könnte noch von Balfour sein?«

»Zweifellos.«

Kelso holte jetzt tief Luft und sprang direkt unter dem Wasserfall hinein.

Die starke Strömung trieb ihn beinahe wieder zurück, lediglich dadurch, daß er nach vorn griff, wo etwas wie eine Grotte gähnte, konnte er sich halten. Obgleich er die Augen offen hatte, konnte er nichts erkennen, bis sich plötzlich die ganze Szene änderte, als der Wasseraufprall auf Kopf und Schultern aufhörte.

Als er wieder klar sehen konnte, befand er sich in der Dämmerung einer niedrigen Grotte.

Er hatte das Gefühl, vor Freude den Verstand zu verlieren, denn dort, oberhalb der Wasserlinie, stand eine metallbeschlagene Kiste!

25

»Es war alles da«, erzählte Kelso. »Der Schatz im Werte von einer Viertelmillion Pfund – in deiner Sprache: zwanzig Lakhs Rupien, das Lösegeld eines Königs. Etwas Derartiges werde ich wohl nie mehr im Leben zu sehen bekommen.«

»Erzähle mir mehr davon«, drängte Irina und schmiegte sich in der Koje dicht an ihn. »Wie sah er aus? Waren da auch Halsketten und Armbänder? Diamanten, Smaragde, Topase?«

»Als wir die Kiste öffneten«, sagte Kelso, »war es schon fast dunkel, aber selbst in diesem schwachen Dämmerlicht funkelte und glitzerte der Schatz, als sei er lebendig. Mein Leben lang habe ich Reichtum verachtet oder wenigstens die Mühe, die sich Menschen machen, ihn zu erwerben; aber selbst ich war beeindruckt. Die Schönheit und der Glanz der Steine war wirklich sehenswert. Wir griffen hinein und hoben händeweise Diamanten, Rubine, Smaragde und Amethyste heraus. Da waren Schmuckstücke aus Gold und Ohrringe aus glitzernden Brillianten. Ein Diamant, so groß wie ein Taubenei, schien mir gut genug für jede Königin.«

Er war mit Padstow in der Dunkelheit auf die *Paragon* zurückgekehrt, nach einer um diese Zeit nicht ungefährlichen Fahrt durch die Lücke im Riff. Obwohl völlig übermüdet nach der Anstrengung der letzten beiden Tage, fühlte er sich angeregt und bester Laune.

Jetzt, da der Schatz sichergestellt war, konnten sie nach Bombay zurücksegeln, und niemand, nicht einmal Raikes, konnte ihm vorwerfen, daß er nicht äußerst rasch gearbeitet hatte.

Als er an Bord gekommen war, hatte er zunächst den Gedanken an Schlaf weit von sich gewiesen, aber jetzt in der Koje, beim Geräusch des Windes in der Takelage und bei der beruhigenden, wiegenden Schiffsbewegung konnte er sich kaum wachhalten. Er fuhr zusammen, als Irina eine seiner zahlreichen Wunden berührte.

»Tut mir leid, Master, ich wußte nicht ...« Sanft legte sie die weichen Lippen auf die Male. »Wer hat dir das zugefügt?«

»Die Angrianer«, sagte er. »Dieselben, die beinahe auch dich gefangen hätten.«

Vorsichtig legte sie sich auf ihn, während ihre Lippen die seinen suchten. »Sie hätten mir das sicherlich auch angetan, und vielleicht noch Schlimmeres, wenn du nicht so mutig gewesen wärst.«

»Sie sind Barbaren.« Er fühlte, wie ihr Körper sich straffte und dann wieder entspannte, als ihre Lippen sich in einem langen und leidenschaftlichen Kuß fanden.

»Wie ist es dir ergangen?« fragte er. »Bist du nur immer weiter die Schlucht hinuntergelaufen?«

»Ja. Ich hatte entsetzliche Angst und dachte die ganze Zeit, sie wären hinter mir her. Aber als ich am Strand ankam, war ich allein.«

»Sahst du Craig?«

»Ja, er war der einzige. Ein paar Seeleute standen am Waldrand. Als ich ihm sagte, was geschehen war, schickte er sie die Schlucht hinauf.«

»Sie haben aber sehr lange dazu gebraucht. Ich habe den ganzen Tag über keinen einzigen Menschen von der *Paragon* gesehen.«

»Mein armer Master!« Ganz sanft und mit verhaltener Leidenschaft liebte sie ihn, und trotz seiner Ermüdung fand er es unwiderstehlich. Auf dem Höhepunkt warf sie den Kopf zurück und stieß einen leisen Lustschrei aus.

Hinterher lag sie wieder neben ihm, zog die Decke über seinen nackten Körper und flüsterte: »Nun mußt du ausruhen.«

Er nickte, schon halb im Schlaf. Vor seinen Augen zogen noch einmal verschwommen die Ereignisse der letzten beiden Tage vorüber: der lange Marsch, die Qualen auf dem Dornbusch, die Nacht auf der Klippe und, am klarsten, das Wühlen in Edelsteinen.

»Master!«

Nur zögernd öffnete er die Augen. »Ja?«

»Bevor du einschläfst, möchte ich dich noch um etwas bitten.«

»Wenn es unbedingt sein muß.«
»Der Bach, in dem die Männer baden –«
»Was ist damit?«
»Ich habe ihn gestern gesehen. Er ist so klar, wirkt so frisch und kühl. Ich würde alles dafür geben, wenn ich dort auch einmal baden könnte.«
Gereizt antwortete er: »Das geht nicht, nicht ohne Wachtposten.« Er erhob sich halb. »Mein Gott, wir wollen morgen segeln!«
»Wenn ich in der Dämmerung hinüber könnte – oder auch schon vorher . . .«
»Ich soll dich hinüberrudern?«
»Nein, nicht du – Padstow. Sicher würde er es für mich tun.«
Langsam ließ er sich wieder auf sein Kissen zurücksinken. »Das weiß ich nicht.«
»Es ist so heiß an Bord, Master, und bis nach Bombay ist ein weiter Weg.«
»Nun denn, so frage Padstow selbst, aber sage ihm nicht, es sei ein Befehl von mir. Wenn du ihn überreden kannst, dann soll er dich in meiner Gig hinüberbringen. Aber er soll Waffen mitnehmen.«
Er schloß wieder die Augen und fühlte kaum noch ihren Kuß. Im nächsten Augenblick war er fest eingeschlafen.
Er hätte mit der Steuerbordwache aufstehen sollen, aber Archibald hatte wohl entschieden, daß der Kommandant Ruhe brauche, denn als Kelso erwachte, strömte helles Tageslicht durch die Pforte. Der Platz neben ihm war leer.
»Padstow!«
Sein lautes Rufen im Gang genügte, um Ledbridge herbeieilen zu lassen.
»Verzeihung, Sir, Padstow ist an Land.«
»An Land?«
»Ja, mit der jungen Dame.«
Jetzt erinnerte er sich, und mit der Erinnerung kam Zorn über ihn. Er hatte nicht gedacht, daß sie es wirklich tun würde.
»Bring mir Wasser.«
»Aye, aye, Sir.«
Eilends wusch und rasierte er sich, wobei er sein Kinn mit einer Wut bearbeitete, als sei es schuld an dem Vorkommnis. Als er endlich an Deck kam, war Archibald noch auf Wache.
Dessen Gruß war so ängstlich, als sei er sich der Reaktion des Kommandanten auf seine Eigenmächtigkeit nicht ganz sicher.

»Warum haben Sie mich nicht wecken lassen?«

»Ich dachte, Sir, nach all Ihren aufregenden Erlebnissen auf der Insel hätten Sie den Schlaf nötig.«

»Vielleicht, aber nicht so sehr, daß ich deswegen meine Wache versäumen müßte.«

»Tut mir leid, Sir, aber . . .«

»Schon gut, Archibald, es war rücksichtsvoll von Ihnen. Danke.«

Kelso trat zur Reling und blickte über das ruhige Wasser der Lagune. Am Strand und am Bach war keinerlei Anzeichen von Leben zu bemerken. Man sah die Mündung, dicht daneben lag die Gig auf dem Sand.

»Wann sind Padstow und Irina an Land gegangen?«

»Vor einer Stunde, Sir.«

»Und Sie haben sonst niemanden am Strand gesehen?«

»Nein, Sir.« Archibald zögerte. »Ich dachte, wir würden Mr. Fenton sehen, Sir, und die Abteilung Marineinfanteristen. Sie sind gestern abend mit dem Langboot nicht zurückgekommen, aber sie waren nicht auszumachen.«

»Das haben Sie also doch gemerkt.« Kelso nickte. »Es stimmt. Sie wurden zurückgelassen, um den Schatz zu bewachen. Ich gehe jetzt ebenfalls hinüber.«

»Verzeihung, Sir, könnte ich mitkommen?«

»Sie, Archibald?« Kelso blickte ihm in das junge, eifrige Gesicht und lächelte. »Sie haben zwar eine lange Nacht hinter sich, aber wenn Sie unbedingt möchten . . .«

»Ja, Sir.«

»Gut. Mr. Crane, meine Empfehlung an Mr. Craig, und ich lasse ihn bitten, die Wache zu übernehmen.«

»Aye, aye, Sir.« Der Fähnrich salutierte, ging zur Schanztreppe blieb dann aber stehen und wandte sich noch einmal um. »Verzeihung , Sir, könnte ich auch mitkommen?« Sein Gesicht wurde puterrot.

Kelso blickte ihn an und wußte sofort, daß sein Interesse – im Gegensatz zu Archibald – nicht dem Schatz galt.

»Wie lange sind Sie auf Wache gewesen?«

»Eine Stunde, Sir, aber . . .«

»Tut mir leid, Crane, Sie müssen an Bord bleiben.« Es war nutzlos, einem Jungen seines Alters zu erklären, daß dies zu seinem eigenen Besten geschah.

Dann saß Kelso im Heck des Bootes, zusammen mit Tregowan und Archibald, während zwei Marineinfanteristen mit ihren Musketen im Bug kauerten. Er hoffte, daß sie die Waffen nicht brauchen würden, aber man mußte vorsichtig sein. Larkins, der von seinen verschiedenen Fahrten her das Riff jetzt gut kannte, gab ruhig seine Kommandos, und das große Boot schoß unter voller Ausnutzung der Strömung vorbildlich durch die enge Lücke, ohne irgendeinen Stein zu berühren. Auf Kelsos Befehl fuhren sie lautlos und schweigend durch die Lagune.

Fenton, der unter den Bäumen im Schatten gesessen hatte, begrüßte ihn bei der Landung.

»Komme ich auch nicht zu spät?«

»Nein, Sir. Das Mädchen hat gebadet und ist dann die Schlucht hinaufgestiegen. Einer meiner Posten sah sie soeben zurückkommen.«

»Und Padstow?«

»Ist bei meinen Leuten, Sir. Ich glaube, er weiß Bescheid.«

Kelso schickte Tregowan mit den beiden Marineinfanteristen zur Deckung der Schlucht. Dann wandte er sich wieder an Fenton.

»Die Leute sind auf ihren Positionen?«

»Ja, Sir.«

»Dann wollen wir anfangen. Mr. Archibald, lassen Sie zwei Mann beim Boot. Der Rest kommt mit mir – aber leise.«

»Ja, Sir.«

Unter den Bäumen kam es ihnen recht dunkel vor nach dem hellen Sonnenschein am Strand. Obgleich der Boden von den Suchtrupps so zertrampelt und von jeglichem Unterholz befreit war, daß sich ihnen kaum noch Deckung bot, gab es dennoch genug Brombeerranken und anderes Dorngestrüpp, die den Vormarsch stark behinderten. Kelso beobachtete ständig den Berghang, aber bei der geringen Sichtweite bemerkte er nichts. Als er einmal die Hand hob, daß der Trupp anhalten solle, herrschte vollkommene Stille. Selbst die Echsen schienen sich nicht zu rühren.

Es dauerte gut zehn Minuten, bis sie den Oberlauf des Baches erreichten. Das Vorwärtskommen war hier zwar leichter, aber dafür bot sich auch weniger Schutz vor Entdecktwerden.

Nach einiger Zeit gab Kelso Archibald einen Wink und flüsterte: »Lassen Sie die Leute hier in Deckung bleiben. Keiner darf hinunter zum Strand.«

Mit Fenton stieg er dann vorsichtig weiter am Bachufer aufwärts.

Der Hang kam ihm steiler vor, als er ihn vom Vortag her in Erinnerung hatte, aber schließlich war er da trotz seiner Müdigkeit durch den Gedanken an den Schatz beflügelt worden. Jetzt hing er trüben Gedanken nach, und seine Beine schmerzten beim Überklettern der Felsen, beim Durchwaten der schlammigen Uferstellen oder beim Kriechen unter den überhängenden Dornbüschen. Außerdem war das ständige Ausschauhalten nach einer verräterischen Bewegung äußerst anstrengend.

Obwohl das Geplätscher des Baches es schwierig, wenn nicht gar unmöglich machte, etwas zu hören, war doch der Gedanke tröstlich, daß auch das Geräusch ihres eigenen Vordringens dadurch übertönt wurde. Sie waren jetzt zwei- oder dreihundert Yards vom Strand entfernt und hatten bisher nichts Verdächtiges ausmachen können. Noch immer hegte Kelso geringe Hoffnung.

Die ganze, brutale Wahrheit eröffnete sich ihm jedoch, als sie den Wasserfall in Sicht bekamen.

Sie bemerkten eine Bewegung jenseits der Büsche, und als er mit Fenton vorsichtig näherkroch, sah er Irina bei einem Angrianer in zerlumpter Kompanieuniform.

Ringsum entdeckte er noch mehr Piraten, nachdem er sich aus seiner gebückten Haltung vorsichtig aufgerichtet hatte. Zwei Männer standen bis zur Brust im Wasser, während ein anderer in die Strömung starrte. Ein weiterer schien unter dem Wasserfall zu stecken.

Die Angrianer hatten offensichtlich Schwierigkeiten, die Schatzkiste aus ihrem Versteck zu holen, auf alle Fälle schien es ihnen schwerer zu fallen als ihm und Padstow gestern. In ihrem Eifer hatten sie wohl die Gewalt der Strömung unterschätzt, und hätten die beiden Leute im Wasser nicht im letzten Augenblick zugegriffen, wäre ihnen die Kiste aus den Händen gerissen worden.

Endlich schafften sie es und brachten sie mühsam ans Ufer. Triefnaß stand sie dort, und sofort fielen die Männer darüber her wie Hyänen über Aas. Ihr Anführer, der mit Irina abseits gestanden hatte, schrie sie allerdings wütend an und schlug sogar einem von ihnen mit voller Wucht ins Gesicht. Daraufhin zogen sie sich zwar ein wenig zurück, kauerten sich aber in geringer Entfernung lauernd wieder hin, während er das Schloß untersuchte.

Die Kiste mit ihren eisernen Beschlägen, ihren Scharnieren und dem starken Vorhängeschloß war von einem indischen Handwerker angefertigt worden, dessen Hauptaugenmerk wohl auf Sicherheit gerichtet war. Vermutlich hätte er es mit dem Leben bezahlen müssen, wenn der Nabob mit der Arbeit nicht zufrieden gewesen wäre. Kelso hätte immerhin den Schlüssel benutzen können, dem angrianischen Kapitän aber stand nichts dergleichen zur Verfügung.

Auf seinen Befehl begannen zwei Leute, mit einem Stein auf das Schloß einzuhämmern, während ein anderer einen kleinen Baum abschnitt, der wohl als Hebel dienen sollte. Irina stand mit gefalteten Händen abseits und beobachtete gespannt ihre Anstrengungen. Zwischendurch warf sie ängstliche Blicke hangabwärts, als befürchte sie, daß man die Schläge unten am Strand hören könne. Als Kelso sie so in ihrer grazilen Schönheit vor sich sah, packte ihn Verzweiflung.

Es dauerte geraume Zeit, bis die Schläge ersten Erfolg zeigten. Auf einen neuerlichen Befehl des Anführers gaben die beiden mit sichtlicher Erleichterung den Stein an zwei ihrer Kameraden weiter, die den Versuch fortsetzten.

Die Eisenstange, an der das Schloß hing, bog sich bereits. Während die Männer weiterhämmerten, wurde der Baumstamm dahintergesteckt, und ein anderer stemmte sich mit aller Kraft nach hinten, den Stamm als Hebel benutzend.

Die Eisenstange gab allmählich nach, bei jedem Wuchten bog sich der Baum tiefer und tiefer.

Plötzlich brach die Stange, und der Mann stürzte zu Boden. Gleichzeitig ließen die anderen beiden ihren Stein fallen.

Voller Spannung warteten alle, während der Anführer nach vorn schritt und das Schloß abzog. Dann hob er den Deckel . . .

Die Kiste war leer!

26

Die Entdeckung traf sie wie ein Keulenschlag. Wie die Gestalten in einem lebenden Bild drückten sie durch Mienenspiel und Körperhaltung Ungläubigkeit, Kummer und Verzweiflung aus. Einen Augenblick standen sie ganz still, keiner sprach ein Wort, ihre ganze Aufmerksamkeit galt der leeren Kiste.

Der Anführer war der erste, der sich von seiner Bestürzung erholte. Wütend wandte er sich an Irina und schrie: »Der Schatz ist weg, wenn er überhaupt jemals drin war! Du hast uns angelogen!«

»Nein!« gab Irina heftig zurück. »Warum hätte ich lügen sollen? Der Schatz war da, er hat es mir doch erzählt: Gold und Juwelen, das Lösegeld eines Königs.«

»So? Wo ist er dann? Kann er ihn weggehext haben? Ich denke, er war die ganze Nacht bei dir?«

»Ich bin sicher, daß der gesamte Schmuck in der Kiste war. Er muß ihn herausgeholt haben, bevor er an Bord zurückkehrte.«

»Warum hätte er die schwere Truhe dann in ihr Versteck zurückgebracht?«

Irina schüttelte langsam den Kopf. »Ich weiß es nicht, außer . . .«

»Nun?«

»Außer er hat es die ganze Zeit geahnt.«

Der Angrianer machte eine wütende Bewegung. »Wie kann er es geahnt haben, wenn du dich nicht wie ein Dummkopf benommen hast? Er hätte sich dann auch ganz anders verhalten und wäre uns wohl kaum gestern in der Schlucht in die Falle gegangen!«

Kelso trat aus den Büschen hervor, die geladene Pistole in der Hand. »Ich kann es euch erklären«, sagte er. »Ich wollte sichergehen. Bis zu diesem Augenblick konnte ich es noch immer nicht glauben, daß dieses Mädchen eine Verräterin sein sollte.«

»Master!« Irinas Hände fuhren zum Mund empor, und sie machte ein paar zögernde Schritte auf ihn zu.

»Bleib, wo du bist!« Er richtete den Lauf der Pistole auf sie. »Ich möchte dich nicht töten, wenn ich nicht muß«, sagte er. »Du hattest ganz recht: Mr. Fenton, Padstow und ich selbst haben den Schatz noch gestern abend in ein sicheres Versteck gebracht. Heute morgen haben wir ihn dort herausgeholt.« Ohne den Blick abzuwenden sagte er: »*All right*, Mr. Fenton, lassen Sie Ihre Leute aufschließen.«

Einer der Angrianer wollte weglaufen, aber Kelso schrie: »Stehenbleiben! Ringsum stehen bewaffnete Männer, die schon die ganze Nacht hier waren – um den Schatz zu bewachen und auf euch zu warten. Wer sich bewegt, wird erschossen.«

»Blöde Hure!« Der Anführer packte Irina am Haar und hielt sie als Schutzschild vor sich.

»Laß sie los!« schrie Kelso.

»Du hast uns verraten! Aus Liebe zu diesem Engländer hast du uns verraten.« Mit der freien Hand zog er ein Messer aus dem Gürtel und stieß es Irina in die Brust.

Kelso sah machtlos zu, wie Irinas Körper steif wurde und zu Boden glitt.

»Bastard!«

Die Pistole über den Unterarm gelegt, wie er es in der Trainingsschule der Kompanie in Greenwich gelernt hatte, drückte er ab, als der Angrianer zu fliehen versuchte. Der Schuß warf den Mann zu Boden. Auf Händen und Knien kroch er zu den nächsten Büschen, aber Fentons Schuß traf ihn mitten in die Brust. Wie ein zertretenes Reptil starb er, sich im Staub windend.

Ein Angrianer rief: »Weg hier!«

Sie hatten wohl Mut gefaßt, da jetzt beide Pistolen leergeschossen waren, und stoben sofort nach allen Richtungen auseinander. Einige rannten hangabwärts, wo sie Archibalds Leuten in die Arme liefen, andere verschwanden im Wald. Kelso machte sich nicht die Mühe, ihnen zu folgen, wußte er doch, daß für sie kaum Aussicht auf Entkommen bestand.

Irina lag noch immer auf dem Boden. Er kniete neben ihr nieder und nahm sie in die Arme. Noch atmete sie, wenn auch schwach und mit offensichtlicher Anstrengung. Ihre Augen flackerten, bereits vom Tode gezeichnet.

»Irina!« Er umschloß sie fest mit den Armen und küßte sie auf die Stirn. »Warum hast du das getan? Ich habe dich aufrichtig geliebt, Irina. Sag mir, warum?«

Einen Augenblick öffnete sie die Augen und bemühte sich, Worte zu formen. Dann schlang sie den einen Arm um seinen Hals und zog ihn dicht an sich.

»Ich habe dich auch geliebt, Master, habe dich immer geliebt.« Sie hustete, und ein Blutstropfen erschien auf ihrer Unterlippe. »Aber die Angrianer sind mein Volk«, erklärte sie. »Ich bin eine Mahratta, Tulagee Angria ist mein Großvater.« Sie schloß die Augen, und Kelso glaubte schon, sie sei tot. Aber noch einmal sprach sie mit äußerster Anstrengung: »Vergiß den heutigen Tag, Master. Du hast den Schatz. Erinnere dich nur an eines – daß ich dich immer geliebt habe.«

Ihr Körper entspannte sich, der Kopf fiel hintenüber, und erst da begriff Kelso, daß Irina gestorben war.

Er trug sie zum Strand und hob mit Fentons Hilfe eine tiefe Grube aus. Dort legten sie die Tote hinein und begruben sie mit allen Ehren. Obwohl Irina keine Christin war, errichteten sie dennoch ein schlichtes Holzkreuz am Kopfende des Grabes. Als alles vorüber und Fenton verständnisvoll beiseitegetreten war, pflückte Kelso Hibiskusblüten und legte sie auf den Grabhügel aus Sand und Steinen.

»Ich kann es noch immer nicht glauben«, sagte Fenton, als sie zusammen zu den Booten zurückgingen. »Hat sie uns von Anfang an vorsätzlich getäuscht?«

»Ich fürchte, ja. Ich neige aber dazu, ihr nicht die ganze Schuld zu geben. Ihr Vater ist mein Khitmugar, ihre Mutter meine Köchin. Ob sie absichtlich in meinen Haushalt geschleust worden sind, werden wir vielleicht niemals erfahren, aber Tulagee Angria muß von ihrer Stellung gewußt haben. Als die Schatzsuche bekannt wurde, hat er sich ihrer Hilfe versichert.«

»Aber warum hat sie Bostick hineingezogen? Sie mußte doch wissen, daß das irgendwann herauskommen würde?«

»Kaum vor unserer Rückkehr nach Bombay. Tulagee Angria oder ihr Vater, vielleicht aber auch Irina selbst, hatten herausgefunden, daß es sich um einen neuen Mann handelte, dessen Hintergrund nicht ohne weiteres nachprüfbar war.«

»Und sie benutzte ihn, um an Bord zu kommen?«

»Ja, Bostick half ihr dabei – unfreiwillig. Als lebenslustiger Mann mit einem Blick für hübsche Mädchen griff er natürlich sofort zu, als sie auf dem Pier an ihm vorbeischlüpfen wollte, und erregte dadurch Argwohn bei uns – bei mir zumindest.«

»Bei mir auch, Sir. Ich habe immer geglaubt, er sei der Verräter.«

»Ich möchte wissen, ob sie von vornherein die Absicht hatte, ihn hineinzuziehen, auch schon vor dem Zwischenfall auf dem Pier. Vielleicht nicht, vielleicht war sie aber auch intelligent und scharfsinnig genug, diese Gelegenheit sofort auszunutzen.« Kelso trat nach einem Stein. »Auf alle Fälle hat sie mich an der Nase herumgeführt.«

Das Sonnenlicht flimmerte auf der Lagune und wurde von dem weißen Sand reflektiert, was unangenehm blendete. Die Luft war still und duftete nach Blumen. Ein Stück weiter den Strand hinunter standen zwei rotröckige Marineinfanteristen auf Wache. Dort war der Schatz verborgen.

»Was hat Sie darauf gebracht, Sir, daß Irinas Geschichte nicht stimmte?« fragte Fenton.

»Ich weiß nicht recht. Anfangs waren es Kleinigkeiten, die mich stutzig machten. An diesem Morgen bei den Seychellen, beispielsweise, als jemand signalisierte. Ich war überzeugt, daß Bostick es war. Niemand sonst befand sich dort in der Nähe.« Er zögerte. »Und doch, als wir ihn weckten, schien mir seine Überraschung echt. Es wollte mir nicht einleuchten, daß dieser große, ungehobelte Seemann ein so guter Schauspieler sein sollte.«

»Was war mit der Spiegelscherbe?« fragte Fenton.

»Das machte mich ebenfalls stutzig. Es war zu offensichtlich.«

»Aber es stand doch sein Initial darauf?«

»Eben. Das war erst kürzlich eingekratzt worden. Keinerlei Schmutzschicht darüber, und auch der Buchstabe selbst so seltsam geformt, ein großes B, wie ein Analphabet es malen würde – oder ein Ausländer, der unsere Schrift nicht schreiben kann.«

»Sie nehmen an, daß Irina es war?«

»Ja. Sobald ich die Kajüte verlassen hatte, schlüpfte sie an Deck, sah Bostick dort schlafen, und nachdem sie signalisiert hatte, ritzte sie das, was sie für sein Initial hielt, auf die Rückseite des Spiegels und legte ihn dann an einen Platz, wo man ihn bald finden mußte.«

Fenton schüttelte den Kopf. »Sie müssen zugeben, Sir, daß sie intelligent war.«

»Das alles traf auf sie zu«, nickte Kelso. »Und ich habe sie geliebt. Wenn alles anders gelaufen wäre, dann hätte ich sie nach unserer Rückkehr geheiratet.«

Fenton erwiderte nichts. Kelso konnte sich leicht vorstellen, was er dachte, was auch ihm selbst schon oft in den Sinn gekommen war: die Schwierigkeiten, die sich zwangsläufig aus einer anglo-indischen Heirat ergaben. Gesellschaftliche Ächtung, wahrscheinlich Entlassung aus dem Dienst der Company. Zweifellos ging all das jetzt auch Fenton durch den Kopf, und er mußte wohl zu dem Schluß kommen, daß der Tod des Mädchens die beste Lösung für Kelso war.

Kelso jedoch war nicht dieser Ansicht. Vor allem fürchtete er den Schmerz, der ihn zermürben würde, sobald der erste Schock sich gelegt hatte.

»Was hat sich eigentlich gestern auf der Insel abgespielt, Sir?«

»Irina hat mich überredet, sie mit an Land zu nehmen, und dann folgte sie mir unbemerkt die Schlucht hinauf. Vielleicht war das geplant. Ich möchte gern glauben, daß sie an meiner Gefangennahme nicht beteiligt war, aber ich bin dessen nicht so sicher.«

»Aber sie entkam«, bemerkte Fenton.

»Ja. Sie lief die Schlucht hinunter und warnte Craig, der sich am Strand aufhielt. Sie kann aber keinesfalls direkt zu ihm gelaufen sein. Ich vermute, daß sie wartete, bis mich die Kerle außer Sichtweite geschleppt hatten, bevor sie am Strand auftauchte. Zu der Zeit war ich bereits eine Meile oder noch weiter entfernt und schon auf dem Südhang. Craig wußte bis zu ihrer Ankunft von nichts. Der Knall der Schüsse ist wohl durch die Felsen abgeschirmt worden. Als Craig von dem Vorfall erfuhr, handelte er sofort.«

»Und es war ausgerechnet Bostick, der Sie gerettet hat«, sagte Fenton. »Das war wirklich eine Ironie des Schicksals!«

»Ja. Als ich ihn sah und dann feststellte, daß er mir wirklich helfen wollte, wurde mir allmählich klar, daß mein Urteil über ihn falsch sein mußte. Wäre er einer von Lamonts Leuten gewesen, hätte er mich ohne weiteres die Klippen hinunterwerfen können, während Padstow die Ranken suchte – es wäre ihm dann ein leichtes gewesen, das ganze als Unfall erscheinen zu lassen. Als er mich aber rettete und sich wirklich besorgt um meine Sicherheit zeigte, wurde mir zur Gewißheit, daß er tatsächlich das war, was er zu sein vorgab: ein Kompaniematrose, der in Bombay nach einem Schiff gesucht hatte.«

»Was wiederum bedeutete, daß Irinas Geschichte nicht der Wahrheit entsprach.«

»Ja. Obwohl ich nur zögernd darauf kam, gab es doch nur eine Lösung: Wenn Bostick unschuldig war, mußte Irina die Verräterin sein. Bosticks Schuld basierte allein auf ihrem Wort. Sie hatte also gelogen.«

Sie näherten sich jetzt der Stelle, die sie gestern abend im Halbdunkel ausgesucht und bezeichnet hatten, ein Sandstreifen zwischen zwei Palmen. Hier hatten sie mit bloßen Händen ein Loch gescharrt, den Inhalt dann mit ein paar Zweigen bedeckt. Die Leute der *Paragon* sammelten sich inzwischen am Strand.

Archibald kam aus der Kühle des Waldes, salutierte und meldete: »Wir haben sie alle, Sir – vier Angrianer wurden getötet. Sie wollten sich nicht ergeben.«

»Das wundert mich nicht.« Kelso begann, die Zweige von dem Sandhügel zu werfen. »Lassen Sie zwei Ihrer Leute die Kiste holen, sie steht noch oben am Bach.«

»Wir haben sie schon mitgebracht, Sir. Ich dachte, daß Sie sie brauchen würden.«

»Gut so! Dann verteilen Sie die Leute und stellen Sie sie im Umkreis auf – für den Fall, daß noch mehr Angrianer kommen. Ich möchte keine Überraschung erleben.«

»Aye, aye, Sir.«

»Und, Archibald, ich wäre Ihnen dankbar, wenn Sie auch hin und wieder einen Blick seewärts werfen würden.«

Tregowan erschien eine Viertelstunde später. Er sah erhitzt und derangiert aus, seine Kniehosen waren zerrissen, aber er meldete mit grimmiger Genugtuung: »Wir haben sie alle getötet, Sir.«

Kelso stand auf und wischte sich den Schweiß von der Stirn. Der Schatz war wieder in der Kiste verstaut, das beschädigte Schloß instandgesetzt und verschlossen. »Haben sie stark Widerstand geleistet?«

»Sie haben uns etwas Mühe gemacht, Sir, aber meine Leute

waren wütend, nachdem sie von Miss Irinas Tod gehört hatten.«

Kelso nickte. »Wir gehen jetzt am besten wieder an Bord.«

»Captain!«

Rasch wandte er sich Archibald zu, der den Strand heraufgerannt kam.

»Die *Mouette*, Sir, sie setzt Segel. Es sieht so aus, als wolle sie angreifen!«

27

Ein kurzer Blick bestätigte ihm, daß Archibalds Warnung gerechtfertigt war. Vor Minuten noch hatte die *Mouette* mit festgemachten Segeln ruhig vor Anker gelegen. Jetzt standen bereits die Unter- und Marssegel, und noch während er hinüberblickte, wurden auch die Bramsegel gesetzt. Im nächsten Augenblick würden sie die Schoten dichtholen, den Anker kurzstag haben und klar zum Angriff sein.

»Bringt die Kiste her, schnell«, befahl er. »Mr. Archibald, schikken Sie die Leute ins Boot.«

Noch während er den Strand entlanglief, sah er, daß seine Gig ins Wasser geschoben wurde, und einen Augenblick später näherte sich Padstow mit dem Boot von der Lagune her. »Hier, Sir!«

Padstows Gürtel war blutverschmiert, besonders dort, wo er den Dolch trug. Auch auf den Armen hatte er Blutspuren. Offensichtlich war er aber begierig auf weiteren Kampf.

»Machen Sie schnell, Mr. Archibald«, rief Kelso. »Mr. Tregowan, all Ihre Leute ins Langboot! Ich nehme die Gig.«

Obgleich er den Schatz nur ungern zurückließ, galt doch seine Hauptsorge dem Schiff. Auf der *Paragon* sah man bereits Anzeichen fieberhafter Tätigkeit. Die Toppgasten enterten blitzschnell auf und legten auf ihren Rahen aus. Die Stückpforten waren geöffnet, die Geschütze schon ausgefahren. Von der Back hörte man das Klicken des Ankerspills, die Kette wurde dichtgeholt. Er konnte sich die Aktivität vorstellen, mit der die dezimierte, erschöpfte Besatzung sich bemühte, das Schiff so schnell wie möglich gefechtsklar zu machen.

Er stellte fest, daß ihnen bei diesem Wind – mit dem Riff in Lee – wenig Raum zum Manövrieren blieb. Wenn Craig klaren Kopf behielt und sich auf sein eigenes Urteil und nicht auf den ängstlichen Quartermaster verließ, gab es eine reelle Chance des Freikommens. Wenn er aber bei der ersten Breitseite der *Mouette* in Panik geriet und wegzusegeln versuchte, würde er mit größter Wahrscheinlichkeit auf Grund laufen.

Kelso glaubte aber nicht, daß Craig in Panik geraten würde.

»Schneller!« Er wußte, daß dies Padstow gegenüber ungerecht war, denn der legte sich ohnehin schon mit solcher Kraft in die Riemen, daß sie sich sichtbar durchbogen. In ein paar Minuten würden sie in die Strömung der Rifflücke kommen.

Als er sich umwandte, stellte er fest, daß die Schatzkiste verladen war und die Leute bereits alle im Langboot zusammengepfercht saßen. Außer den drei Offizieren im Heck und den Männern an den Riemen war das Boot gedrängt voll Seeleuten und rotröckigen Marinesoldaten. Das Dollbord ragte kaum noch über die Wasserlinie.

Im nächsten Augenblick konnte er sich nicht mehr mit dem Langboot befassen. In seinem Eifer hatte Padstow einen Krebs gefangen* oder ein Riemen war auf Fels gestoßen. Die Gig legte sich quer und drohte zu kentern.

»Weiterrudern!« schrie Kelso.

Er hielt sich am Dollbord fest, streckte sein eines Bein weit über Bord und trat – den richtigen Augenblick abwartend – mit aller Kraft gegen den Fels.

Die Gig drehte, richtete sich auf, und Padstow hatte sie wieder in der Gewalt. Nach ein paar weiteren Minuten waren sie längsseits der *Paragon.* Kelso kletterte rasch das Fallreep empor, lief über das naße, sandige Oberdeck und sprang dann die Treppe zum Achterdeck hinauf. Craig salutierte mit befreitem Lächeln. »Gott sei Dank, daß Sie da sind, Sir!«

»Gut gemacht, Mr. Craig. Das Langboot wird gleich anlegen.«

»Verzeihung, Sir, aber können wir darauf warten?« rief Heslop vom Ruder her. »Der Franzmann hat seine Geschütze schon ausgefahren. Mit dem Rücken zum Riff sitzen wir in der Falle!«

»Geduld, Mr. Heslop«, entgegnete Kelso. »Gleich sind wir unterwegs.« An Craig gewandt, fügte er hinzu: »Sie gehen jetzt besser zu Ihren Kanonen.«

»Aye, aye, Sir.« Wie der Blitz war Craig verschwunden und kehrte erleichtert zu seiner eigentlichen Aufgabe zurück, die er besser beherrschte.

Die erste Breitseite der *Mouette* lag bereits deckend, rasierte das Oberdeck und warf auf beiden Seiten des Schiffes Fontänen auf.

* sein Riemen war untergeschnitten

Im gleichen Augenblick kam das Langboot längsseits.

»Feuer frei, Mr. Craig!« rief Kelso. Dann wandte er sich an die jungen Lazarettgäste, die kreidebleich am Kreuzmast kauerten: »Los, schafft die Verwundeten nach unten!«

Eine Kugel hatte das Schanzkleid durchschlagen, eine Art Tunnel quer über das Deck gefräst und war dann wieder über Bord gegangen. Zwei Männer der dritten Geschützbedienung wälzten sich in ihrem Blut.

»Lassen Sie das!« schrie Kelso den Bootsmann an, der gerade die Boote einsetzen wollte. »Das kostet zuviel Zeit.«

»Aber, Sir . . .«

»Habt ihr den Schatz an Bord?«

»Ja, Sir.«

»Dann kappt die Fangleinen und laßt die Boote treiben. Wir nehmen sie nachher auf, wenn wir die *Mouette* versenkt haben.«

Wie um seinen Worten Nachdruck zu verleihen, donnerten die Backbordgeschütze los, als seien sie eine geschlossene Einheit. So dicht waren die beiden Schiffe beieinander, daß alle mit bloßem Auge die Einschläge beobachten konnten.

Es kam nicht oft vor, daß sich den Geschützbedienungen die Gelegenheit bot, ohne jede Schlingerbewegung zu schießen. Normalerwiese pflegte die Marine bei der Abwärtsbewegung zu feuern, um den Feind in oder unter der Wasserlinie zu treffen. Vielleicht war ihre Bewegungslosigkeit der Grund, weshalb die erste Breitseite, die doch besonders wirkungsvoll sein sollte, oben durch die Takelage fegte und lediglich die Segel durchlöcherte, ohne ernstlichen Schaden anzurichten. Höhnisches Beifallsgeschrei der Piraten war die Quittung. Erst später stellte sich heraus, daß ein Zufallstreffer das Fockstag durchschlagen hatte.

»Sie müssen aber besser treffen, Mr. Craig«, rief Kelso. »Nachladen!«

Craig nickte grimmig und befahl den Geschützbedienungen: »Auswischen! Nachladen!«

»Zwei Strich Steuerbord, Mr. Heslop!« kommandierte Kelso. Es war ihm und auch Heslop klar, daß dieser Kurs gefährlich dicht an das Riff heranführte, aber Kelsos Gesichtsausdruck erstickte von vornherein jeglichen Einwand des Rudergängers.

Es blieb auch keine Zeit, einen Lotgast nach vorn zu schicken. Sie würden entweder auflaufen oder freikommen.

Kelso war so intensiv mit dem Riff beschäftigt, daß er die nächste Breitseite der *Mouette* gar nicht bemerkte, bis ringsum die Hölle losbrach. Ein grauenhaft verstümmelter Körper zu seinen Füßen stieß entsetzliche Schreie aus.

»Kurs halten!« befahl er Heslop, dem Rudergänger, der den Eindruck erweckte, als wolle er weiter vom Riff abhalten.

Im nächsten Augenblick kniete Kelso nieder und ergriff Cranes Hand. Der Junge hatte beide Beine verloren, und weiteres Blut floß aus einer klaffenden Wunde in der Brust.

»Captain, Sir!« Die Disziplin war stärker als der Schmerz, sobald der Fähnrich die Hand seines Kommandanten fühlte. »Miss Irina ...« Sein Mund schloß sich wieder im Todeskampf.

»Irina hat Sie geliebt«, log Kelso. »Vor ihrem Tod hat sie noch nach Ihnen gefragt.«

Er war nicht ganz sicher, ob der Junge ihn verstanden hatte, bis er sah, daß ihm eine Träne über die Wange lief und sein Mund sich zu einer Grimasse verzog, die wohl ein Lächeln sein sollte.

»Kurs halten!« rief Kelso erneut dem Quartermaster am Ruder zu, ohne aufzustehen. »Wir sind fast klar vom Riff.«

Als er wieder nach unten blickte, war der junge Crane tot.

Die *Paragon* hielt eisern Kurs und nahm rasch Fahrt auf. Die *Mouette* war jetzt weniger als eine Kabellänge entfernt und schloß auf konvergierendem Kurs noch dichter heran.

»Feuer frei, Mr. Craig!« schrie Kelso. »Backbordgeschütze klarmachen.« Bewußt ging er ein Risiko ein, aber da er von vornherein im Nachteil gewesen war, mußte er das Überraschungsmoment nutzen.

Die *Paragon* legte sich stark über und bot jetzt dem Piratenschiff ihre Steuerbordseite dar. Lamont, der noch immer den Windvorteil hatte, schien sich ins Fäustchen zu lachen und auf den Fangschuß vorzubereiten.

»Die werden uns zerfetzen«, murmelte einer.

»Oder von unseren Kanonen versenkt werden«, entgegnete Archibald. Sein Tonfall war allerdings weniger zuversichtlich als der Wortlaut.

»Wir kommen sehr dicht heran, Sir«, warnte Heslop.

»Gleich ändern wir Kurs«, entgegnete Kelso. Dann kommandierte er laut: »Ruder hart Luv!«

»Hart Luv, Sir?«

»Hart Luv – *jetzt*!«

Die *Paragon* schien plötzlich stehenzubleiben, dann holte sie stark über und passierte den Bug der *Mouette* im Abstand von wenigen Fuß.

»Ziel auffassen!«

Entschlossen, die Scharte der ersten Breitseite auszuwetzen, zielten die Geschützführer noch sorgfältiger und richteten die Mündungen bei diesem geringen Abstand direkt auf die Ziele.

»Feuer!«

Ein Dutzend Vierundzwanzigpfünder-Kugeln riß große Löcher in den Rumpf des Gegners. Markerschütternde Schreie der Verwundeten tönten über den schmalen Wasserstreifen.

»Auswischen! Nachladen!«

Völlig überrascht von der zu diesem Zeitpunkt noch nicht erwarteten Breitseite, hatten die Kanoniere der *Mouette* das Feuer nicht rechtzeitig erwidern können.

Lautes Jubelgeschrei auf der *Paragon* war die Folge.

»Klar zum Wenden!« Laut schallte Kelsos Kommando über das Deck.

Eifrig warteten die Leute an Brassen und Schoten auf das Ausführungskommando. Dann flogen die Rahen herum, und die *Paragon* ging so elegant über Stag wie bei einer Besichtigung durch den Admiral. Während des Wendens stand Kelso bewegungslos an der Reling und beobachtete das Manöver des Gegners.

Tatsächlich hatte Lamont wenig Auswahl. Innerhalb weniger Minuten hatte er Windvorteil verloren. Sein Schiff, wenn auch anscheinend noch nicht ernsthaft beschädigt, hatte doch schwer unter dem Kugelhagel gelitten, die Besatzung war entnervt durch das entsetzliche Geschrei der Verwundeten. Zu allem Überfluß trieben sie jetzt auch noch rasch auf das Riff zu.

Er tat, was jeder vorsichtige Kapitän an seiner Stelle getan hätte: Er setzte auf Sicherheit. Die oberen Segel wurden geborgen und die Achterrahen backgebraßt.

Langsam kam die *Mouette* herum. Zwar hatte sie geschafft, vom Riff freizukommen, aber durch Lamonts Vorsicht war ihre Seite minutenlang gefährlich entblößt.

Die Geschütze der *Paragon* schossen zweimal, bevor das Feuer von der *Mouette* erwidert wurde. Bei den Geschützbedienungen der *Paragon* herrschte eitel Freude. Nach der zweiten Salve wurden die Rohre naß ausgewischt, dann eilends nachgeladen und die Kanonen so schnell wie möglich wieder ausgefahren. Craig hastete von einem Geschütz zum anderen und kontrollierte die Zieleinstellung der Geschützführer. Er war jetzt ruhig und zuversichtlich. Von unten kamen jubelnd die Schiffsjungen gelaufen und brachten neue Munition.

»Großartig, Sir!« rief Fenton begeistert. »Viel mehr Treffer kann sie nicht vertragen.«

Kelso erwiderte nichts. Lamonts Ruf als harter Kämpfer und erbarmungsloser Feind war ihm zur Genüge bekannt. Der würde sich nicht so leicht ergeben.

»Hart Backbord!« befahl er jetzt. Er hatte nicht die Absicht, sich erneut gegen das Riff drängen zu lassen.

Während die *Paragon* Kurs änderte, forderten die Geschütze der *Mouette* ihren Zoll. Eine Breitseite fegte über das Deck und tötete drei Männer einer Geschützbedienung. Schwelbrände entstanden an mehreren Stellen, aber die Seeleute holten Wasser und löschten verbissen, so daß sich kein Feuer ausbreiten konnte. Einer der jungen Lazarettgehilfen saß mit gespreizten Beinen an Deck und starrte fassungslos auf seinen linken Knöchel nieder, an dem der Fuß fehlte.

»Ziel auffassen!« rief Craig.

»Klar zum Feuern!«

»*Feuer!*«

Der Kampf erlahmte, als die beiden Schiffe jetzt auf entgegengesetztem Kurs durch den Wind gingen. Bald wurde der Abstand zwischen ihnen so groß, daß sie außer Schußweite gerieten.

Auf dem Achterdeck beobachtete Kelso die Segel des Kreuzmastes, spürte die Stärke des Windes an den zum Bersten gespannten Schothörnern und auch an der starken Schlagseite seines Schiffes. Dies war die wahre Prüfung guter Seemannschaft. Ihm wie Lamont war klar, daß derjenige von ihnen, der sein Schiff schneller und härter an den Wind brachte, den Luvvorteil gewinnen würde.

»Lassen Sie das Ruder in Hartlage!« knurrte er Heslop an, der aus Sorge um die Sicherheit des *Paragon* bereits wieder anluven wollte, was den Drehkreis vergrößert hätte.

Es war in der Tat ein schöner und erregender Anblick, als die beiden schnittigen Schiffe gleichzeitig ihre elegante Drehung ausführten, die Segel prall gefüllt, die Masten tief zum blauen Wasser hin geneigt. Es war schwierig, wenn nicht gar unmöglich vorherzusagen, wer von ihnen den engeren Drehkreis beschreiben würde. Als sie sich wieder aufrichteten, nahmen sie rasch Fahrt auf, und der Abstand verringerte sich zusehends.

»Backbordbatterie feuerklar!«

Beide Schiffe hatten die Pause benutzt, die Trümmer zu beseitigen und wieder gefechtsklar zu machen. Sie waren bereit, eine Breitseite abzufeuern, aber auch, eine einzustecken. Die *Paragon* hatte den Windvorteil gewonnen und lag jetzt in Luv.

»Feuer frei!« rief Kelso.

Es kam besonders darauf an – und das war auch Craig klar –, daß die erste Breitseite genau im Ziel saß. Das konnte in der augenblicklichen Situation von entscheidender Bedeutung sein. Sich dem gegnerischen Feuer auszusetzen war besser, als aus Vorsicht auf die günstigere Schußposition zu verzichten.

Die *Mouette* eröffnete das Duell, jedoch bereits auf eine Entfernung von mehr als zwei Kabellängen. Da ein genaues Zielen und Treffen bei diesem Abstand sehr schwierig war, fuhr denn auch der größte Teil der Breitseite durch die Takelage oder fiel ins Wasser, ohne ernstlichen Schaden anzurichten. Höhnisches Gelächter auf der *Paragon* war die Antwort. Bei der raschen Annäherung der beiden Schiffe würde sich wohl kaum Gelegenheit zu einer weiteren Salve bieten.

Jetzt passierten sie einander auf parallelem Kurs, obwohl Lamont angesichts der ihm drohenden Gefahr bereits etwas abhielt.

»*Feuer!*«

Die Kanoniere der *Paragon*, die noch immer die Scharte des ersten Fehlschusses auswetzen wollten und die Rüge des Kommandanten noch nicht verwunden hatten, zielten besonders sorgfältig. Sie feuerten alle gleichzeitig, was äußerst wichtig war, denn ein einzelner, vorzeitig abgefeuerter Schuß verursachte sofort eine Rollbewegung des Schiffes.

»Auswischen! Nachladen!«

Craig war entschlossen, sich noch einen weiteren Bissen aus dem Kuchen zu holen.

»Gut gemacht!« rief Kelso ihm zu, als er drüben die klaffenden Löcher in Höhe der Wasserlinie sah.

»Ziel auffassen!« schrie Craig.

»*Feuer!*«

Die zweite Breitseite, im Augenblick abgefeuert, als sich die Schiffe schon wieder voneinander entfernten, war nicht ganz so wirkungsvoll wie die erste, trug aber viel dazu bei, die ohnehin gute Stimmung noch weiter zu heben. Die Jubelrufe der Geschützbedienungen wetteiferten mit denen der Pulveräffchen, und der Seeleute an den Brassen.

»Klar zum Wenden!«

Während sie über Stag gingen, wurde offenbar, daß auf der *Mouette* nicht alles zum Besten stand. Anstatt ebenfalls zu wenden, wie alle erwartet hatten, behielt sie ihren Kurs bei, der sie mit tödlicher Sicherheit auf das Riff führte.

»Was halten Sie davon, Sir?« fragte Fenton. »Ob sie vielleicht Hilfe von den Angrianern erwarten?«

»Dann werden sie eine bittere Enttäuschung erleben, denn durchs Glas sehe ich die Gallivaten noch immer auf ihrem alten Ankerplatz liegen, kein einziges Segel ist gesetzt.«

»Sie müssen gleich aufs Riff auflaufen, wenn sie nicht sofort abdrehen.«

Im nächsten Augenblick sahen sie die Erklärung: Der Vormast war um fünfundvierzig Grad nach achtern gekippt und lag nun mit seinem Gewirr von Rahen, Stengen, Stagen, Wanten und laufendem Gut gegen den Großmast gelehnt, der dadurch ebenfalls zu brechen drohte. Seine Rahen waren schon nicht mehr bewegungsfähig.

»Hart Steuerbord!« befahl Kelso.

Er war entschlossen, seine Chance wahrzunehmen.

28

»Du führest den Menschen zu seiner Vernichtung, aber dann sagest Du: Kommet wieder her zu mir, Kinder der Menschen.«

Kelso blickte von seinem Gebetbuch auf. An Deck aufgereiht lagen die Gefallenen, sorgfältig in Segeltuch eingenäht. Unten im Orlopdeck kümmerte sich Foulkes mit seinen Gehilfen um die Verwundeten. Einige von ihnen würden wohl ebenfalls sterben, andere vielleicht durchkommen; diese mußten aber später – nach dem Verlust eines Armes oder Beines – ein kümmerliches Dasein an Land fristen. Die See war eine grausame Geliebte.

»Am Morgen ist es grün und wächst heran, aber am Abend ist es bereits verwelkt und verdorret.«

Die Besatzung war an Deck angetreten, barhäuptig trotz der prallen Mittagssonne. Die Offiziere und Fähnriche, angeführt von Fenton, standen auf dem Achterdeck.

»Lasset uns essen und trinken, dieweil wir morgen sterben müssen.«

Die nächstliegende Segeltuchhülle, erheblich kleiner als die anderen, enthielt die sterblichen Überreste des jungen Crane. Gab es wirklich ein Leben nach dem Tode, wie die Kirchen immer verkündeten? Und wenn ja, war Crane dann bereits bei Irina? Der Gedanke hatte etwas Tröstliches.

»Der Mensch, vom Weibe geboren, hat nur eine kurze Weile zu leben. Er wächst heran und wird niedergemäht wie des Grases Blüte.«

Ohne aufzublicken merkte Kelso, daß Latham und sein Maat den ersten Toten auf die Reling hoben.

»Mitten im Leben sind wir vom Tod umfangen.« Kelso hob die Stimme, um das Klatschen zu übertönen.

»Daher überantworten wir diesen Leichnam der Tiefe, wo er warten wird auf die Auferstehung des Fleisches, wenn auch die See ihre Toten wieder hergibt.«

Einer nach dem anderen wurden die leblosen Körper auf eine Planke gehoben, die quer auf der Reling lag, und dann von dort über Bord geschoben. Die Besatzung stand gesenkten Hauptes dabei. Auf Tregowans Kommando: »Hoch legt an!« hoben die Marineinfanteristen ihre Musketen und feuerten eine Salve über das blaue Meer.

Endlich war alles vorüber. Die Freiwache verschwand unter Deck, und die Leute der Wache lehnten sich schweigend über die Reling. Kelso ging mit dem Ersten Offizier auf dem Achterdeck auf und ab.

»Sie wird keine Seeräuberei mehr betreiben«, sagte Fenton und deutete hinüber zur Küste.

Die *Mouette* oder vielmehr das, was noch von ihr übrig war, lag am Fuß der Klippe. Bei ihrem letzten Angriff hatte die *Paragon* ihr mehrere Volltreffer unter der Wasserlinie beigebracht, und rasch sinkend war sie hilflos auf die Felsen getrieben. Lamont hatte keine andere Möglichkeit mehr gehabt, als sie aufzusetzen. Sein Pech war es, daß auf allen Seiten Felsen die Insel einsäumten.

»Was wird wohl aus der Besatzung?« fragte Fenton. »Werden die Angrianer zurückkommen?«

Das Langboot der *Mouette* hatte im allerletzten Augenblick abgelegt, eben bevor sie sank. Es war so voller Menschen, daß es aussah, als säßen sie bis zur Gürtellinie im Wasser. Während sie zum südlichen Vorland ruderten, gingen die beiden Gallivaten gerade Anker auf und setzten Segel.

Kelso hob die Schultern. »Vielleicht, obwohl ich es kaum glaube. Dieses Bündnis zwischen Lamont und Tulagee Angria war mir immer suspekt. Warum hätten sie eine Allianz eingehen sollen? Doch lediglich zur Verfolgung ihrer eigenen Ziele. Beide wollten den Schatz haben, und jeder brauchte den anderen zu seiner Unterstützung.«

»Sie meinen, die Gallivaten allein fühlen sich zu schwach, um die *Paragon* anzugreifen?«

»Genau das. Wir sind schon früher von ihnen angegriffen worden, aber immer nur, wenn sie in großer Überzahl waren. Zum Erfolg brauchen sie ein Dutzend oder mehr Schiffe. Zwei oder drei sind niemals genug.«

»Also haben sie sich mit Lamont verbündet«, sagte Fenton. »Immerhin war auch sein Schiff eine Fregatte, genauso groß und ebenso stark bewaffnet wie wir. Für einen Kampf brauchten die Angrianer seine Unterstützung.«

»So wie Lamont die Angrianer benötigte, um die Schmutzarbeit an Land zu verrichten«, fügte Kelso hinzu.

»Daher blieb er also auf See und beobachtete die *Paragon*?«

»Ja. Lamont hätte keinen Augenblick gezögert, den Angrianern den Schatz abzujagen, wenn sie erfolgreich gewesen wären. Er hätte mit ihnen kurzen Prozeß gemacht und dann mit seiner Beute das Weite gesucht.«

Fenton nickte. »Nun, zum Glück ist es anders gekommen. Die *Mouette* ist gestrandet, und keiner von beiden hat den Schatz bekommen.«

»Ja, der ist im Besitz seiner rechtmäßigen Eigentümer«, fügte Kelso abschließend hinzu. »Er liegt sicher verwahrt im Verschlußraum eines Kompanieschiffes, zuverlässig bewacht von bewaffneten Marineinfanteristen.«

Kelso hätte gern stärkere Genugtuung verspürt, aber in ihm war nur Leere. Ein Pirat, der unter den reichbeladenen Ostindienfahrern schwersten Schaden anrichten konnte, war vernichtet, die Macht der Angrianer von Gheriah gebrochen. In rund vierzehn Tagen würde die *Paragon* mit dem Schatz an Bord in Bombay einlaufen, er selbst mit Ehren überhäuft werden, Gouverneur und Rat ihm ihren Dank aussprechen. Er würde Empfänge geben, Bälle und Festessen, und der Name der *Paragon* in die Marinegeschichte eingehen.

Er warf einen letzten Blick auf die Insel, die Brecher am Riff, den blauen Spiegel der Lagune und den weißen Bogen des Strandes. Fünf Gräber waren dort zu sehen, letzte Ruhestätten braver Seeleute, die gelitten hatten und gestorben waren für die Kompanie.

Dicht am Bach, dort wo das Plätschern des Wassers das Raunen des Waldes übertönte, befand sich nun noch ein weiteres Grab, wie die anderen mit einem schlichten Holzkreuz geschmückt. Jedoch waren hier Sand und Steine frisch und der noch feuchte Hügel mit

Hibiskusblüten bestreut. In der Sonne des nächsten Tages aber würden Sand, Erde und Steine trocknen und die Blumen verwelken.

Die Geschichte berichtet, daß trotz vereinzelter Scharmützel zwischen den Landstreitkräften in Bengalen und im karnatischen Raum der Krieg zwischen England und Frankreich für ein weiteres Jahr verschoben wurde. Kelsos Freund Robert Clive war schon auf dem Weg nach Indien, und die beiden trafen sich in Bombay, genau drei Wochen nach dem Scheitern der *Mouette.*

Somit war nicht nur Bombay wohlbehütet, sondern im Laufe der nächsten Monate griffen Kelso und Clive, zusammen mit einem frisch von England eingetroffenen Geschwader, das stark befestigte Gheriah an und zerstörten es. Die Macht Tulagee Angrias war für immer gebrochen.

Alexander Kent

Die Richard-Bolitho-Romane

ein Ullstein Buch

Die Feuertaufe
Ullstein Buch 3363

Klar Schiff zum Gefecht
Ullstein Buch 3376

Die Entscheidung
Ullstein Buch 3402

Zerfetzte Flaggen
Ullstein Buch 3441

Bruderkampf
Ullstein Buch 3452

Der Piratenfürst
Ullstein Buch 3463

Strandwölfe
Ullstein Buch 3495

Fieber an Bord
Ullstein Buch 3522

Nahkampf der Giganten
Ullstein Buch 3558

Feind in Sicht
Ullstein Buch 20006

Der Stolz der Flotte
Ullstein Buch 20014

Eine letzte Breitseite
Ullstein Buch 20022

Galeeren in der Ostsee
Ullstein Buch 20072

Cecil Scott Forester

Die Hornblower-Romane

ein Ullstein Buch

Fähnrich zur See Hornblower
Ullstein Buch 422

Leutnant Hornblower
Ullstein Buch 441

Hornblower wird Kommandant
Ullstein Buch 462

Der Kapitän
Ullstein Buch 481

An Spaniens Küsten
Ullstein Buch 502

Unter wehender Flagge
Ullstein Buch 529

Der Kommodore
Ullstein Buch 555

Lord Hornblower
Ullstein Buch 570

Hornblower in Westindien
Ullstein Buch 598

Hornblower auf der Hotspur
Ullstein Buch 2651

Zapfenstreich
Ullstein Buch 2834